MIL MILHAS

MIL MILHAS
TAMARA KLINK

EDITORA
Peirópolis

Copyright © 2021 Tamara Klink

Editora
Renata Farhat Borges

Editora assistente
Ana Carolina Carvalho

Projeto gráfico e diagramação
Laura Klink

Fonte Sardinha
Pierre Laurent

Preparação de texto
Toninho Correia de Lima

Revisão
Thais Rimkus
Mineo Takatama

Dados Internacionais de Catalogação na Publicação (CIP)
de acordo com ISBD

K65c   Klink, Tamara

Mil milhas / Tamara Klink ; ilustrado por Tamara Klink. - São Paulo : Peirópolis, 2021.
196 p. ; il. ; 13 x 20,8cm.

ISBN: 978-65-5931-108-8

1. Literatura brasileira. 2. Relato de viagem. 3. Diário de viagem. 4. Literatura. I. Klink, Laura. II. Título.

2021-2710
CDD 869.8992
CDU 821.134.3(81)

Elaborado por Vagner Rodolfo da Silva - CRB-8/9410

Índices para catálogo sistemático:
1. Literatura brasileira 869.8992
2. Literatura brasileira 821.134.3(81)

Também disponível em e-book no formato ePub (ISBN 978-65-5931-106-4)

Editado conforme o Acordo Ortográfico da Língua Portuguesa de 1990.
1ª edição, 2021 – 3ª reimpressão, 2022

Editora Peirópolis Ltda.
Rua Girassol, 310f – Vila Madalena – 05433-000 – São Paulo/SP
Tel.: (55 11) 3816-0699
vendas@editorapeiropolis.com.br
www.editorapeiropolis.com.br

DEDICO ESTE DIÁRIO À MINHA AVÓ
E ÀQUELAS QUE GUARDAM NOSSOS
SEGREDOS ENQUANTO ABREM CAMINHOS.

Este diário foi escrito em alto-mar, em
portos de pesca de cidades estranhas, em
linhas de trem, em prantos, em momentos
de saudade, carência ou profunda alegria.
É o diário de uma viagem que eu não esperava
fazer, embora tivesse sonhado com ela desde
sempre. Comecei a escrever sem saber se eu
saberia fazer a viagem sobre a qual escrevia.
Sozinha. Os escritos me fizeram companhia.

Este diário é sobre uma travessia geográfica,
mas não somente. É sobre crescer e dar-se
conta da nossa envergadura. É sobre fazer
um plano e cumpri-lo. É sobre criar coragem
para navegar nos nossos medos. É sobre virar
adulto e descobrir ser capaz de muito mais.
É sobre tentar conter nos diários o nascimento
de uma navegadora (ou escritora) mundo
adentro, mar afora, afora, afora.

PLEASE RETURN
TO

TAMARA KLINK

31.07.2020

Faz 3 dias que essa ideia está batucando na minha cabeça. Eu tenho tempo, eu estou aqui, eu já fiz esse trajeto ao contrário e ele ai~~s~~ não po~~d~~ estar mais fresco na minha cabeça. Então porque não voltar pra França de barco, sozinha? Foi o Henrique que deu essa ideia, e na hora eu achei que era absurdo demais, mas é verdade que quanto mais eu penso nele, mais isso parece a coisa certa a se fazer e o momento certo para isso ser feito. Eu já não posso mais ~~ser~~ ~~to~~ ~~aprender tanto navega~~ ~~com so~~ achar que navegando com os outros eu ficarei pronta para navegar sozinha... Eu já sei bastante coisa! Talvez não tudo, mas mais do que marinheiros que foram pro o mar aberto talvez até mais que meu pai quando cruzou o atlântico! Minha curva de progresso já tá entrando no patamar zen

e tem coisas que eu só vou aprender vivendo... Além disso, é um bom plano B para a travessia (que pensei em fazer nu mín. 6.50) De repente, vai ser, apesar de mais bem mais legal! Comprar um barco baratinho e alguma que eu consigo tir com as minhas economias e com ele ir pra muitos lugares! Hoje eu sonhei com isso! Com ondas grandes, navios, e meu pequeno barquinho no meio deles! Estou mandando várias imagens pro meu cérebro para ele se acostumar com o plano e me ajudar a encontrar a melhor rota pra cumpri-lo.

...har na casa de um casal de brasileiros bem
...al. A Fernanda põe fogo em transgressões e
...nde ideias malucas e o Daniel não vê barreiras
...ne realizar o que tem vontade. Ontem ficamos
...té 2 da manhã falando de anotar sonhos, pintar
...elas, convencer o país, a escrever poemas por [si]
...para os outros. (Estou esperando a hora
...uei o Daniel vai aparecer para trabalhar porque
...hou dormindo no banheiro!!)

→ Vovó acha melhor não falar sobre o barco.
"CÁ PARA NÓS, TODA MÃE É NEGATIVA"

9.08.2020

→ Ainda é difícil acreditar que esse barco é
meu. Primeiro, porque ele está no mesmo lugar
do anúncio, então parece que comprei um carro
que ainda está na concessionária ou na
garagem do antigo dono. Depois, porque
ainda não paguei, então ainda não vi
minha conta esvaziar. E, sobretudo,
porque parece um sonho.
Passei o dia limpando o barco. Reconhe-
cendo suas partes e seus pertences. Estava
imundo e me imundei, entrando em buracos para extrair qualquer porção de sujeira.
Fiz isso até o último raio de
sol (o que, na Noruega, nessa época, é bem
tarde) e fui tomar banho no pontão para
poder estar limpinha no saco de dormir.
(Estava friííío, mas antes dormir limpa
e com frio que suja e quente).
Dormir no meu próprio barco! Isso está mesmo
acontecendo? É, certamente, uma completa
estupidez técnica e financeira. Mas eu
estou certa de que será uma grande escola
pra mim. A melhor que eu podia ter nesse
momento...

3 + 1,5 + 5 + 1,4 = 6,1

(O maior desafio vai ser contar isso pra minha mãe.)

As partes difíceis serão a costa norueguesa, a travessia para a Dinamarca em fumos metereológicos. O canal da Mancha será difícil por causa dos navios. Sinto um misto de medo e coragem. Como se algo grande e definitivo estivesse para acontecer

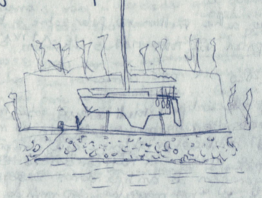

O Juha, dono anterior, está sendo muito muito legal comigo. Ele me trouxe o Vaap para ajudar a limpar o barco e está me dando todos os equipamentos que "pertencem ao barco". Ele também me deu carona até Alesund e me buscou na estação de ônibus para eu não me perder.
Ele tem uma filha 7 semanas mais nova que eu (como ele mesmo calculou) e acho que isso ajuda. Ele me vendeu o barco por um preço que eu não poderia imaginar (30.000 Nok, sendo que o anúncio dizia 40.000) — Ele disse que preferia vender o barco para uma jovem estudante brasileira que para um norueguês que não queria gastar dinheiro.
O Juha é um homem de pequena estatura, médico ortopedista, estrangeiro na Noruega, fã de barcos de pesca em madeira e de forja armada. Esses países o levaram a comprar uma enorme chalupa mesmo depois de ter uma chalupa nau fregada.

0.08.2020 - 1ª navegação sozinho no meu barco!

Será que é verdade? Preparei as mochilas com antecedente tudo o que eu tenho aqui. Eu vim mesmo só com o mínimo e muito necessário. É, Tamere, não tem mais volta. Eu penso a todo momento em quanto eu gostaria de poder compartilhar isso com meus pais, minhas irmãs e ser abraçada por eles. Em como seria legal poder confiar no acolhimento deles a esses planos e sonhos e decisões! É difícil acreditar que tudo isso está mesmo acontecendo, mas parece, ao mesmo tempo, natural para mim. É como se eu já tivesse estado sozinha num barco muitas vezes e soubesse o que fazer e como agir. Eu já tinho nascido do isso tanto?

O Juha me deu tchau no pier de Molde e me largou os cabos e empurrou o casco. Já fazia uma semana que ele me ajudava a preparar

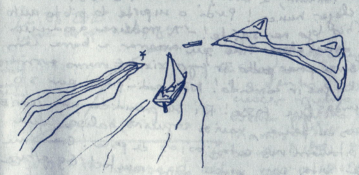

o barco para a partida! Ele, pouco a pouco, foi ganhando minha cara e meu jeito. Pôr ele na água foi uma grande emoção! Ele flutua! Ceu pensara! Ele flutua! A grua parecia uma garra monstruosa pra levantando meu barquinho! Tive medo que ele

que ele só não pede?) ⟶ O barco tem isso de nos permitir levar nossa casa pros lugares, e tê-la em onde a gente está; e ao mesmo tempo, sabendo que ~~a gente pode~~ a nossa casa de hoje, pode não estar aqui amanhã, que as sementes que a gente planta, a gente talvez não verá crescer, florir ou dar frutos; que os amigos que a gente faz, a gente talvez perca antes de fortalecer/amadurecer. Sempre novo. Sempre novo. Perto, me nasce gente, um novo vizinho, um novo grande amor, e a gente vai deixando um rastro de pontes abertas

08.09.2020

Já faz 1 semana que ~~está~~ o pai de Thybrow invou minha casa. Todo dia acordo e vejo a previsão, que já mudou várias vezes. Fiz e já desfiz meus planos pra a faculdade. Apresentei meu mestre (onfim!) à distância (acho que passei, porque os profs só quiseram saber da viagem e de minha vida pessoal). Descobri porque o plotter não logava. Na verdade, não tinha corrente o suficiente. Liguei pro Henrique, como faço ~~toda~~. Sempre que tenho um problema, me salvou ou me vi torta. P. "Divide and conquer" ele me diz mais uma vez. Fazer e Tiro e ponho todos os pos, ligo e desligo o motor, parece que é o alternador que não carrega mais a bateria. Aini... Terei que chamar um eletricista. ($$$). Vou dormir cansado e preocupado, mas a ~~exausto~~ ~~me dexu~~ me faz parar de pensar e dormir rapidinho.

09.09.2020

Hoje acordei e não fui ver a previsão! comecei direto pelo multimetro pra ver se o painel solar carregou as baterias. Sim! um pouquinho! Não vou usar mais nada de energia - até eles serem 'salvos'. Tentei consertar sozinho, mas acho que tenho que aceitar que não posso ser tudo (velejadora, mecânica frigegogota, escritora, eletricista...). Saiu pelo porto a procura de um eletricista. Os pescadores me dão números de telefone (como se me interessem seus

cardiologistas de confiança). Ligo para o Per, e by ele me manda o Dan (muito rápido!). Ele pega seu multímetro ...... e, como um médico, vai colocando ele em muitos lugares do motor e escutando seus repiques. Depois de uma breve espera que parecia muito longa, ele começa a pesquisar outras partes do motor, desmonta o painel e acha um fusível queimado!!! Ele vai buscar outro na oficina, o substitui, e, como era de se esperar, outros problemas vêm à tona. O motor não liga. Limpo um reservatório de superfície de diesel, isso libera uma fuga (que só não tinha aparecido ainda pois os canos estavam num equilíbrio perfeito e, quando o Pam conserta tudo e vai embora, o motor tem para sair porque eu esqueci de reabrir a válvula do tanque do diesel. Dois caras do barco vizinho aparecem, puxam popa e ingenuamente oferecem ajuda. Coitados. Começa então uma longa embate para tirar o ar do motor que dura 2 horas. Acabamos cobrindo a fonte de fuga de diesel, conseguimos fechar todos os lugares abertos e vazamentos de ar. Eu nunca imaginava, dois caras que trabalham em barcos de pesquisa sísmica com motores enormes apontando do meu motorzinho do sardinha! (E eu também!). Eles foram muito legais! Que alegria ouvir o som do motor pegando novamente!! Conseguimos resolver tudo a tempo de minha 2ª reunião do dia! (A primeira foi com a Aliança-Francesa, a 2ª com uma agência de publicidade para uma campanha de tênis com tema "mar"). As coisas parecem voltar a se arranjar novamente!
   Barcos são assim. No início parece que tudo funciona. Depois, parece que nada funciona, o 3º momento é quando tudo parece voltar a funcionar (depois de um esforço imenso) mas pelo menos a gente fica menos amedrontado caso algo pare de funcionar (pq a gente tem pistas do que pode ser!)
   — O pessoal aqui do porto já está criando rondas para explicar meu paradeiro. Tem gente que

Sonhos e planos[21] Thyborøn[24] Contexto[29] Barco[32] Volta[40] Ainda[44] Mãe[51] Partir[55] Ålesund–Florø[58] São Paulo–Florø[61] Invisível[65] Perigos[67] Noite[71] São Paulo–Farsund[75] Medo[77] Contra o vento[80] Abrigo[87] Bonjour?[93] Casa[94] Tempestade[97] Chegar[105] Amar[110] Tempo[114] Pai[118] Depois de amanhã[122] Canal da Mancha[126] Amsterdam[127] Entre Amsterdam e Thyborøn[128] Entre Volda e Ålesund: buscar o barco[129] Ålesund[131] Volda[134] Florø I[138] Florø II[141] Bøker[142] Farsund[144] Mar do Norte I[145] Mar do Norte II[148] Thyborøn I[150] Thyborøn II[152] Thyborøn III[156] Vlieland[159] Antuérpia[164] Dunkerque[166] 13.9.2020[169] Calais[171]

Posfácio, Amyr Klink[175] Caderno de fotos[178]

SONHOS E PLANOS

Faz três dias que essa
ideia
lateja na
minha
cabeça.
Ela confisca minhas noites, deforma meus planos,
se alastra pelo latifúndio dos meus pensamentos.
Experimento mil cantos, mil po-
sições

para libertar meu sono da ideia grudenta e
possessiva. E não tem jeito – ela me
cercou por

dentro.

Pra resumir: não é de ontem que eu quero navegar
em solitário. Eu só não esperava que pudesse
começar agora. Até porque
estou num país estranho,
nunca fiz isso,
tem uma pandemia acontecendo,
não tenho endereço fixo e admito que
nem sei se daria conta de lidar com os perigos da
viagem.

Oslo, 31.3.2020

Mas, a cada dia que passa, menos absurdo parece
tirar esses malditos planos da gaveta e aceitar que,
no fundo,
dá.

Por sinal,
cresci numa casa onde as paredes eram feitas de
livros sobre alto-mar. Minha mãe forrava nossas
camas com pelúcias de bichos aquáticos, meu pai
forrava nossos sonhos com histórias de barcos e
ventos austrais.

Pensei: se eu tiver medo de navegar, quem não terá?

Não sei quando meu pai parou de nos contar
histórias antes de dormir (acho que foi quando eu
saí do quarto dividido com minha irmã gêmea e
meu pai não pôde se dividir em dois). Mas, na falta
de histórias de ouvir, recorri às historias de *ler*. Elas
acordavam cedo, e ficávamos, juntas,
de
p

é
noite adentro. Elas faziam o m u n d o parecer
ter muitos mundos dentro dele. Elas alimentavam as
vontades de viajar de corpo nos lugares dos relatos.

> Elas tornavam as fronteiras menos
> intransponíveis e os sonhos marinhos, menos
> impossíveis.

Sonhos são coisas perigosas.

A gente não decide tê-los, nem define como serão.
Eles nascem por eles próprios, crescem em silêncio e

espalham raízes nas nossas escolhas todas. Sem
a gente perceber, os sonhos já nos são.

Como bambus, eles se alastram debaixo da terra
e os

brotos geram novas centralidades. Um broto
vira muitos, e
assim por   diante.

Uma vez instalados, os sonhos são quase
impossíveis de exterminar. Seria preciso cavar um
buraco imenso,

arrancar toda a terra em volta e levá-los para
outro

lugar, longe da nossa inconsciência. Ainda assim,
sempre podem ficar uns pedaços. MINÚSCULOS
e capitais.

THYBORØN

Fui capturada por um sonho em Thyborøn. Ventava pacas. A brisa escancarava a porta do oceano, saltava sobre o quebra-mar do porto, cobria de areia e sal as ruas, as janelas, os cabelos loiros--quase-brancos na pequena cidade pesqueira. Eu corria pela praia e meus pés pesavam horrores, pregados ao chão pelas botas espessas de navegação. Chega a chuva, e eu e o Kristoffer nos refugiamos numa cafeteria de frente para o barco. Faltavam poucos minutos para o Henrique chegar à cidade dinamarquesa. Escolhemos uma mesa embaixo de um enorme mapa da Dinamarca e pedimos chá.

Era um período propício a certos riscos. Fim de ano na faculdade na França, fim de uma busca por estágio sem sucesso, fim de um relacionamento no qual eu não coube inteira. Deixei o lugar onde morávamos juntos e fui buscar chances de aprender a navegar em solitário. Eu precisava ancorar meu plano.

Como os sonhos, os planos existem sozinhos. Mas planos não crescem sem contexto. Não podem brotar no ar. Além de terra fértil, de luz do sol, eles precisam de entrega, de cuidado, de eleição. Levam--se anos para matar um sonho. Mas, para matar um plano, basta um segundo.

Um mal-entendido, uma

desfeita, um

olhar de reprovação é um perigo iminente e, talvez,
fatal. Por isso, os planos precisam ser protegidos até
o dia em que deixam de ser planos para tornarem-se

cons

      tru

          ção.

O Kristoffer e eu discutíamos o plano de navegação
para o dia seguinte. Nem parece que nos
conhecemos há apenas dez dias. Ele é de um tipo
alto e seco, como muitos noruegueses são. Tem um
jeito debochado e passeia nos limites do proibido e
do chocante. Apesar do estilo de pirata, ele é
sensível e sabe ser extremamente gentil. Entre um
maço de cigarro e outro, ele para a fim de me
explicar navegação com cartas, regras de
preferência, sinais sonoros. Instrutor de navegação
de cruzeiro em Oslo, ele e seu colega, Dag,
procuravam alguém para ajudá-los a levar um
veleiro da França à Noruega. Um simpático brasileiro
que acompanhava meus vídeos do YouTube fez a
ponte entre nós virtualmente. Eu estava ansiosa e
mal conseguia tomar meu chocolate quente. Era ele
a pessoa que nós esperávamos.

O sino da porta tocou quando o Henrique entrou na
cafeteria. Cumprimentou o pessoal do balcão com um
alarde incomum na Escandinávia. Os gestos
desmedidos e festivos foram abraçando minhas

saudades do Brasil. Num café minúsculo de uma escala fria e ventosa, tão longe da minha família, ouvir o sotaque brasileiro me levou para casa. Ele puxou uma cadeira, deixou a mochila no chão e entrou na conversa bem no momento em que o Kristoffer dizia para mim: Você tem muita experiência como tripulante, mas ainda não é comandante. Dói ouvir certas verdades. Ainda naquela manhã, ele me ensinara a manobrar o veleiro no cais e eu dei vexame relando o barco no muro de concreto do porto. Eu não tomava decisões a bordo sem pedir duas vezes a validação dos outros. Nem mandava, nem comandava. Eu não era a principal responsável, e não o seria enquanto não lidasse com as consequências das minhas próprias escolhas.

Minha língua é meu refúgio.
A amizade com o Henrique já nasceu em português e em porto seguro. Por isso foi tão desconcertante quando ele disse: Por que você não volta pra França sozinha?

Não entendi aonde ele queria chegar com essa ideia tão remota e improvável. Assumi que era um daqueles planos de mesa de bar sem começo nem fim, desses que servem mais para ocupar o ar e gerar afinidade do que para acontecer. É, Henrique, já pensou?

Levei um tempo para entender que ele falava sério.

– Henrique, eu acharia ótimo. Mas faz quinze minutos que a gente se conhece e não sei se você está sabendo, mas eu nunca estive só comigo num veleiro, mal sei estacionar um barco no cais, sou uma estudante estrangeira sem casa e sem dinheiro e não sei com que barco eu faria isso.

– Pensa que você já fez a ida, só falta a volta.

Eu não vou emprestar meu barco para você ir até a França, mas quando a gente chegar à Noruega a gente dá um jeito e arruma um. Que tal?

Por mais absurda que a ideia parecesse, ela tinha algum sentido. Se eu tinha coragem de navegar com completos desconhecidos, por que não teria coragem de navegar comigo mesma?

Do café, fomos pro barco. De noite, liguei para minha avó, contei a ideia. Ela disse que minha mãe ficaria louca de preocupação. Vó, por enquanto é só uma ideia.

No dia seguinte, partimos. Último dia de vento a favor. Ondas
nos
pegando
de
lado.

Céu cinza. O Henrique fala pelos cotovelos. Kristoffer fuma sem parar. Fico meio enjoada só de pensar no cheiro do tabaco queimado. Ele cola nas almofadas, nas paredes, nos cabelos. Como alguém pode gostar dessa porcaria? Não cruzamos barco algum. O ápice da viagem foi ver uma foca boiando, morta. A barriga aberta, as aves marinhas fazendo a festa no seu estômago. Mesmo morta, ela é querida pelos bichos do oceano, pensei. Naquele dia, ela era a única lembrança da vida que existe fora do barco. O mar tem dias infinitamente entediantes. Dias que parecem não acabar nunca. Dias que parecem não ter acontecido. Dias que a gente vai se esquecer de ter vivido. Mas não era o caso desse. Entre as horas dormindo ou acordada, dentro de mim já estávamos a mil, eu e meus pensamentos vivíamos nossa própria travessia.

Vimos os contornos pontudos da Noruega. Enfim, o sol era forte e esquentava os nossos rostos nublados. Terra para aterrar os pés e planos. Entregamos o barco para o dono, pegamos um trem e fomos dar nos entornos de Oslo. Para os novos amigos que fiz, eu disse que voltaria de barco pra França, como se falar em voz alta fizesse meu cérebro se acostumar com a ideia e encontrar os caminhos para começar.

CONTEXTO

Do avião,

    os   picos   brancos   das
montanhas parecem a espuma de ondas do mar.
Imagino meu barco navegando no meio delas,
vencendo uma a uma, fazendo das velhas
montanhas novos caminhos para ensaiar.

Pousamos num desses dias de sol onde o lugar fica
tão perfeito que a gente é capaz de assinar qualquer
contrato pra poder ficar. O Henrique veio me buscar
de carro, e atravessamos

túneis que passam embaixo do mar. Chegando,
conheci a constelação de pessoas que rodeiam meu
novo amigo: sua esposa, Ieva, e suas duas (quase
três) criaturas. Eu me senti segura, em família.
O plano ganhava contexto. É preciso se sentir em
casa para poder sair de casa, é preciso ter abrigo
para desabrigar-se, expor-se. É preciso ter conforto
para criar a coragem de deixá-lo. Sem porto, não
tem partida, só a busca contínua por qualquer lugar.
Sem segurança, sem escolha, não tem como haver
liberdade. É só fuga, falta de opção, tentativa de
chegar sem ter saído de nada. Achei meu ponto de
partida.

Fazer uma viagem sozinha já seria bem assustador. Ter um barco pela primeira vez, também. Mas eu contava com os meios de tê-lo? De mantê-lo? De comprar um barco? À mesa de jantar, comecei a listar num guardanapo o dinheiro de que eu dispunha. Palestras que minhas irmãs e eu fizemos durante dez anos, um frila de atriz para um videoclipe de amigos, trabalhos soltos e conquistados cujos pagamentos ficavam escondidos de mim mesma numa conta que não era minha, era do barco que eu ainda teria. Mas estavam em reais, estavam no Brasil, e essa conta fora bloqueada justamente porque eu fiz questão de não poder acessá-la em momentos impulsivos. Depois de horas pendurada ao telefone com o banco, cheguei à conclusão de que não dava para resolver o problema naquele momento. "Eu te empresto", disse o Henrique. A gente mal se conhecia e ele já confiava em mim esse tanto. (Jamais serei grata o suficiente por isso!) Fiquei sem graça, sem saber se aceitar era uma atitude responsável ou inconsequente, e aflita em pensar que minha vida marítima solitária começaria endividada. Mas era um baita começo.

Começamos a procurar o barco num *site* de venda de usados. Seguem os critérios listados no tal guardanapo:

> 1. Resistente, para tolerar os erros de primeira viagem;

> 2. Bem cuidado, para não gerar muitas surpresas no caminho;

> 3. Custar o mínimo possível, por razões autoexplicativas;

4. Equipado, para o orçamento não explodir com as compras adicionais;

5. Estar perto de Ålesund, para a gente poder visitá-lo antes de fechar negócio;

6. Pequeno, pelas mesmas razões do item 3 e para eu ter tempo de conhecer cada parafuso.

Chegamos a um veleiro antigo, mais ou menos dentro dos critérios. Visitamos na mesma semana. Ficava a uma hora e meia dali. "Eu não vendo ele por menos de 4 mil euros", disse o dono. Era seco, limpo, cheiroso. Não tinha nenhum instrumento de navegação, e eu precisaria comprar cada um e instalá-los, triplicando o investimento. Quase fechei negócio, mas o cara me deixou desconfortável e combinamos de nos falar no dia seguinte. No café da manhã, pouco antes de eu escrever confirmando a compra, o Henrique me mostra o anúncio de outro barco. Só para desencargo de consciência, vamos visitar esse também?

BARCO

Pontes, balsas, túneis submersos, é um balé o trajeto de Ålesund a Molde. Encontramos o Juha (se pronuncia Iúrra) na frente da casa dele e partimos, os três, rumo à marina. No caminho, costeamos fiordes e suas lagoas marinhas. Um quilômetro a menos na estrada é um quilômetro mais perto do meu possível primeiro barco, eu penso. Eu tenho um precipício na barriga, como se cada frase solta fosse uma fala histórica, cada vista fosse o cenário de um filme, como se cada objeto do carro quisesse dizer alguma coisa que a gente descobrirá de boca aberta muito depois.

O Juha é um médico ortopedista finlandês, tem a minha altura e sorri o tempo todo. Voltas da vida trouxeram ele e a esposa a esse vilarejo norueguês. Ele dirige um carro tipo jipe verde-safári, é apaixonado por barcos de pesca de madeira (apesar de já ter tido uma série de desventuras com modelos assim e, inclusive, ter naufragado um) e leu todos os livros de Jorge Amado traduzidos para o finlandês (me arrependi amargamente de nunca ter terminado *Capitães da areia*, que foi leitura obrigatória na escola por três anos).

Cruzamos muitas pequenas marinas no caminho. Cada uma me dá palpitações, como se o tal barco pudesse estar ali.

O Juha reduz a velocidade. Uma baía abrigada em frente. O sol esquenta as paredes verdes das montanhas. Dois pontões de madeira entre nós e os barcos coloridos. Descemos a rampa que vai quase até o nível da água. Uma fileira de casinhas de madeira pintadas de vermelho. Logo atrás dos telhados, brilha um mastro de metal plantado num casco branco e azul. É ele, o Juha confirma.

No seco, parece enorme. Subimos a escada para montar no convés (o "teto" do barco). Do lado de fora, cabos gastos, trincas e furos. Parece confortável para uma pessoa só navegar. Manchas de encardido em todos os cantos. A sujeira dificulta as ponderações. Dentro, desumidificadores de ar por toda parte, água nos armários, rastros de um incêndio, mofo, uma cortina com desenho de peixe que a filha do Juha, da minha idade, trouxe do Japão. Concentro-me em listar mentalmente a situação do mastro e dos estais, os equipamentos presentes e faltantes, quais as velas, o estado do motor e suas partes, problemas possíveis de resolver, cicatrizes e descuidos que podem impedir a viagem.

Preciso de um barco para ser minha escola, penso. O Henrique já teve um barco parecido e dispara sem parar: olha como é baixo isso, como é espaçoso aquilo, na outra versão do barco é assim, isso aqui não tem cabimento, essa parte até que é legal. É difícil ouvir meus próprios pensamentos com tantas opiniões. Tenho muita sorte de estarmos juntos nessa.

O Henrique sai para dar uma volta e deixa um rastro de silêncio. Fico com o Juha, que explica que o motor está cuspindo água para dentro do barco e que a cada duas horas é preciso esvaziar um balde cheio de água do mar. Eu gostei do barco, digo, mas não sei se posso pagar por ele. Ele pensa e diz: Eu prefiro que o barco vá para uma jovem estudante que faça uma bela viagem, não para um norueguês que o deixe sempre parado numa marina. Eu vendo o barco pelo valor que você puder pagar. Fechado?

Apertamos as mãos, e estava feito. O Henrique aparece para perguntar algo, e o Juha o interrompe: Ela comprou o barco.

Palavras que valem tanto quanto contrato, depósito ou comprovante. Volto para casa (do Henrique, que sinto como se fosse minha) com as chaves no bolso. Eu me deito sem conseguir dormir. Eu tenho um barco? Tamara, isso está mesmo acontecendo? Será que vou acordar e vai ter sido um sonho? Foi de repente, mas não foi do nada. Foi rápido, mas foi projetado. Quanto tempo já faz que oriento minhas escolhas para um dia navegar em solitário? Hoje, eu me proporcionei os meios para começar.

Uma barreira difícil foi vencida, falta o resto. Tenho vontade de contar pro mundo! De comemorar com minha mãe, meu pai, minhas irmãs. Quero que eles façam parte disso. Pego o telefone para ligar para casa.

Toca.

Vou dizer: Então, mãe, cheguei bem a Ålesund!

Toca.

A família do Henrique é ótima, estou bem e acabei de comprar um barco!

Toca.

Vou voltar pra França nele! Sei que nunca fiz isso, mas lembra que eu falei que queria?

Toca.

Só vou começar daqui a um mês porque o barco está meio em mau estado e o mar aqui tem ondas de cinco metros.

Toca.

Ele tem algumas fugas de água, o motor tem um problema grande, mas acho que dá pra arrumar.

Toca.

Antes de completar a ligação, mudo de ideia e desligo.

Ainda há muito chão pela frente até ter condições de partir. Imagino a reação da minha mãe ao receber a notícia. Imagino a transferência natural das inseguranças, das preocupações. De medos, já bastam os meus. Não preciso ter também os medos dela.

Faço a lista das missões a cumprir, das coisas que podem dar errado. Só vou contar para os outros sobre a viagem no dia em que me sentir pronta para partir. No dia em que nenhuma preocupação me paralisar. No dia em que eu tiver firmeza para assegurar a mim e, por consequência, aos outros que o barco e eu daremos conta de cumprir nosso plano.

Há, no entanto, uma exceção. Uma única pessoa da minha família em quem confio 100%, com quem eu sei que posso contar a qualquer momento, e que vai saber guardar segredo. O telefone chama.

Explico a ideia e o contexto. Mas sozinha, Morena? O caminho é longo, minha querida. Você não consegue arrumar um idiota para ir com você?

Minha avó é minha cúmplice. Ela se preocupa. Dou risada e explico que o plano é justamente este: aprender a não precisar de mais ninguém. Se um idiota serve de companhia, eu também posso fazer companhia para mim mesma. Ela me abraça pelo telefone. De algum modo, estaremos juntas.

Ainda é difícil acreditar que esse barco é meu. Primeiro, porque ele continua no mesmo lugar do anúncio: um estacionamento de piso de concreto a duas horas, duas balsas, um ônibus, uma carona e um trechinho a pé de casa. Parece que eu comprei um carro que ainda está na concessionária, e eu cuido dele, arrumo ele e durmo nele enquanto ele segue na vitrine. Em segundo lugar, eu ainda não paguei por ele, então não vi minha conta esvaziar. Em terceiro lugar, é difícil acreditar porque parece um sonho.

Em Molde, limpo cada quina, cada aresta do barco. Tento apreender suas texturas e seus formatos. Estava imundo, e me imundei entrando em buracos para extrair toda porção de sujeira. Tenho a impressão de arrumar o barco para outra pessoa. Vasculho seus cofres como um rato para que nada me escape, nada passe despercebido. Faço isso até o último raio de sol (no verão da Noruega, isso quer dizer bem tarde). Vou até o pontão, tiro as roupas sujas, molhadas, colantes no corpo cansado. Minixampu, minicondicionador, minissabão, deixo a toalha num canto e tenho o maior chuveiro do mundo. A água gelada da mangueira desperta todos os músculos. Quero estar limpa ao entrar no saco de dormir. O teto é o céu escuro. Os picos das montanhas escondem a lua. Protejo-me entre dois barcos de pesca, para evitar eventuais surpresas caso algum pescador venha buscar suas chaves esquecidas. (Faz friiiio, mas é melhor dormir com frio e limpa do que quente e suja.)

Tudo é novo para mim, e a Nausicaa chega carregada de histórias e marcas de vidas passadas. Parece que à noite os barulhos aumentam de volume. Se, de dia, passam despercebidos, de noite eles rugem, estalam, me impedem de dormir. São as vozes do *meu barco*, penso com força, tentando acreditar nesse novo estranho par de palavras.

Isso está mesmo acontecendo? Se eu pensar muito, chego à conclusão de que é uma grande estupidez.

Não seria o momento mais propício da minha vida para ter um bicho desses. Desses que podem ir longe, desses que nos deixam morar dentro, desses que pedem tanta atenção e carinho quanto um cavalo vivo. Talvez fosse mais lógico fazer isso quando eu tivesse um emprego com definição no dicionário, uma profissão explicável em uma palavra só, quando eu tivesse mais dinheiro do que aquele que gasto para viver, quando eu estivesse num país onde eu falasse a língua local, pelo menos. Quando os países do mundo não estivessem sob a ameaça de um vírus, fechando suas fronteiras e voltando-se para dentro. Mas, nesse tal dia ideal, será que eu teria o tempo que tenho hoje? A vontade, o sonho, a liberdade de ser dona do meu nariz e de mais nenhum outro? Será que nesse dia eu estaria com gente que acredita no meu sonho tanto ou mais do que eu mesma? Não é o mais propício dos momentos, mas tenho certeza de que essa viagem será uma grande escola, a melhor que eu poderia ter agora.

O universo me deu um contexto que eu não poderia planejar melhor. Estou com pessoas que me acolhem e me encorajam, diante de um trajeto que acabei de fazer e num lugar onde posso ser eu mesma e ponto.

Por tanto tempo rascunhei os passos a seguir, imaginei situações, etapas a cumprir. Por dois anos fui atrás de apoiadores, arquitetos navais, patrocinadores, mecenas, diretores de *marketing*, presidentes de empresas para tirar do papel um projeto bem desenhado, bem definido, bem calculado. Aonde quer que fosse, eu levava apresentações impressas, vídeos sedutores com musiquinha épica e tomadas de drone, uma maquete de plástico do barco embaixo do braço, cartões de visita da França e do Brasil, meu sorriso, meu entusiasmo, minha energia inesgotável, meu *pitch* de trinta segundos em três idiomas, o CV de navegação, recortes de revista que justificavam o interesse midiático em me ajudar. Enviei mais de quinhentos *e-mails*, fiz mais de quarenta reuniões em três países, recebi grandes elogios, textos de agradecimento, mensagens de parabéns. Dois anos depois, eu não tinha um único centavo, um único parafuso, um único contrato assinado. Fiquei à deriva num mar de promessas.

Foi uma travessia necessária que me ensinou uma série de lições importantes. Uma delas foi que, para ser navegadora, não basta saber navegar. É preciso saber conquistar os meios de navegar. E me dei conta de que eu dificilmente conseguiria pagar uma viagem longa com os trabalhos que eu fazia nos tempos livres entre as aulas da faculdade. Na França, meus amigos velejadores trabalhavam com patrocínio. E entendi que não teria um patrocinador até provar para os outros e para mim que eu estava pronta.

O contato do Henrique surgiu num momento em que eu estava à beira de desistir de ter um barco.

E a maneira como aconteceu foi diferente de tudo o que eu poderia ter imaginado. Todos os "comos", os "o quês" foram outros. Mas o "por que", que orienta minhas escolhas, que motiva meus empreitos, que me fornece energia quando ela me falta, foi o que me trouxe aqui: minha ambição de navegar me motivou a falar sobre meu plano, a conhecer pessoas, a morar em outro lugar, a plantar sementes, a construir caminhos e me dar os meios de aproveitar a chance se ela surgisse um pouquinho. Por mais que a vida tenha sido muito diferente dos planos, o ato de projetar permitiu que eu me preparasse. A oportunidade apareceu, e eu estava pronta para abraçá-la com todas as partes de mim.

Sinto um misto de medo e coragem. Como se algo grande e definitivo estivesse prestes a acontecer.

VOLTA

Pego o carro do Henrique e vou para o aeroporto buscar o cara bonito e simpático que conheci na escala em Amsterdam. No caminho, a polícia liga para o Henrique e adverte que eu estava dirigindo devagar demais no túnel que passa embaixo do mar. Ele me liga com o coração na mão depois do susto pela ligação urgente. Acho curioso a polícia norueguesa telefonar aos motoristas para dar conselhos de condução. Mesmo depois do estresse, o santo Henrique nos empresta o seu barco pelo fim de semana. Eu gosto de estar no comando, definir os rumos e as rotas, velejar nos fiordes e ver a noite clara atrás da silhueta das montanhas. Depois de uma sequência de tentativas meio mal ou bem-sucedidas, já tenho segurança para fazer as manobras no porto com vento. Quem diria?! Três dias atrás eu ainda levava bronca do Henrique por raspar nos barcos vizinhos e hoje paro de ré sem tocar em ninguém. O Jesse é legal, mas confesso que me cansa um pouco ele perguntando o tempo todo quanto as coisas custam, estereotipando os países do "terceiro mundo", e estou desnorteada desde que vi a sua coleção de canecas Starbucks de capitais exóticas – mas isso são só julgamentos (rs). Amei estar com ele, o fim de semana foi perfeito. Na reta final do retorno, faço uma crítica sobre o nó que ele dá num cabo, e isso derruba o ego do meu tripulante. Desconforto a bordo. Acho que não reverei a coleção de canecas Starbucks.

Tchau, Jesse! Até já, Henrique! Entro no ônibus que vai para Volda. Na mochila, levo praticamente tudo o que eu tenho aqui: jardineira, capa corta-vento, documentos, GPS. Já vim para cá com o mínimo necessário, e é bem fácil fazer a mala quando não há o que pôr dentro dela. É, Tamara, não tem mais volta. Olhando pela janela do ônibus, subindo na balsa para cruzar o mar, chegando à marina, amarrando o barco no braço da grua, penso em quanto gostaria de compartilhar isso com meus pais, minhas irmãs, e comemorar cada passo com eles. Como seria legal contar com o acolhimento deles nesses planos, sonhos, decisões! Se é difícil acreditar que é real, ao mesmo tempo parece estranhamente natural. Como se não fossem tantas primeiras vezes, como se eu já tivesse estado a sós em um barco e soubesse exatamente o que fazer, como reagir. Aprendi com meus ensaios imaginários.

A grua é uma garra monstruosa levantando meu barquinho. Tenho medo de que ela o machuque, arranque seus estais, e não desço até ele estar na água. Flutua!, constato, aliviada. Pouco a pouco, o barco ganha minha cara e meu jeito. Falta um novo nome. O Juha me dá muita mão, sempre rindo com jeito de quem não sabe se já é hora de rir. Estou feliz de ter comprado o barco desse cara legal e peculiar.

A manobra toda leva mais tempo que o previsto. Eu fico tão feliz que quero fazer todas as arrumações e ajudar o Juha com o barco dele. O sol sempre presente não denuncia que vai ficando tarde. O vento diminui. São sete e meia da noite, tenho sete horas de navegação pela frente. Ficou tarde para partir. Tenho a opção de dormir aqui nesta noite e partir amanhã. Mas, não, quero que o barco acorde em casa. O Juha me dá tchau no píer de Volda, me lança os cabos e empurra o casco. Os barcos da marina vão ficando pequenos, até sumirem na curva da baía.

Demoro para pôr tudo no lugar, ligar os equipamentos certos, entender como levantar as velas (e quais velas!), me lembrar de tirar as defensas das bordas, ganhar ALGUMA velocidade (a corrente era contra e o vento nenhum. Avançava a dois nós e meio e, desse jeito, eu não chegaria nunca!). Ligo o motorzinho, rendida. Logo na saída, perco o suporte do piloto automático. A madeira de apoio apodreceu e desmanchou. Será sem piloto, então! Amarro a barra com elásticos para poder soltar a mão do leme e entrar para fazer xixi. Mesmo assim, vou correndo, faço intervalos comerciais na operação sanitária para corrigir a rota e desviar de barcos. Tomo um caldo do esquema de elásticos e cordinhas. No escuro, é difícil estimar a distância até os pontos luminosos. Não posso sumir por trinta segundos sequer! Sou surpreendida por balsas silenciosas, barcos de pesca, navios cargueiros, balizas não cartografadas, boias com redes. Será uma longa noite. Pode durar muito! Sinto-me feliz demais por estar aqui! O Henrique e a leva seguem cada momento na carta, e isso me dá muita segurança. Sinto-me acompanhada.

Não me aguento e ligo para a Laura. Ela está com a mamãe no carro, a caminho de Paraty. Falo: "Estou sozinha num barco!". Aparentemente não acham grande coisa e começam a contar das tramas afetivas mais recentes do clube. Dou risada dos estranhos mundos que convergem naquela ligação. Cruzando piscantes verdes e vermelhos sobre a água negra e tranquila, fulano engravidou não sei quem, o filho revoltado de tal pessoa se mudou para uma república, eles iam se casar, mas não é pra contar ainda. Deixo meu eminente segredo para outra hora. Assuntos importantes merecem ser debatidos. Ainda não é o momento de desembrulhar meus planos.

Rosa e azul por trás das montanhas. É madrugada. O Henrique vem me receber no cais. Pergunto-me se ele ao menos conseguiu dormir. Exausta e feliz, encontro forças para arrumar o barco. Não tem mesmo mais volta.

VOLDA, 10.8.2020

AINDA

Aaaaaaaaaaaaaah! Acordo assustada. Sinto calor e os pés gelados. Medos se alastram pela minha cabeça. E se as ondas estiverem muito grandes na quina da Noruega? E se o barco afundar? E se eu ficar sem bateria em alto-mar? São preocupações que me estressam há dias. Acordo e durmo pensando no que falta comprar, no que falta fazer. Tenho medo de ficar sem dinheiro e não poder pagar o porto, o diesel ou a comida. Tenho medo de estar esquecendo algo essencial.

O Henrique me leva para o santuário local dos proprietários de barco: a Biltema. Uma loja de departamento de peças náuticas e bugigangas. Um local maravilhoso para o qual voltaremos muitas vezes, ele garante.

Listas de reparos, listas de compras, listas de portos, listas de pessoas, listas de livros, listas de listas, e assim por diante. Quanto mais se prepara, mais inacabado fica.

Eu me acostumo a viver primeiras vezes todos os dias. Eu me debruço sobre problemas que não sabia resolver até resolvê-los. Troco cabos dos quais não sei o nome, instalo antenas que ainda não sei usar, confecciono o novo suporte do piloto, cubro todos os buracos, todas as janelas, todas as trincas com silicone para conter as microenchentes que alagam os bancos e os cofres do salão.

De noite, antes de dormir, edito vídeos, escrevo neste diário, mando e-mails e apresentações em busca de apoio ou patrocínio para parte da viagem ou das imagens. Os vídeos são bem recebidos, os diários me ajudam a organizar os pensamentos. Não tenho respostas positivas sobre apoio. Tudo bem, vamos fazer como podemos, e vai dar certo.

Minha mãe estranhou meu silêncio. Ligo para ela: Por aqui tudo ótimo! Conto coisas terrestres e terrenas, e parece que isso a deixa mais segura. O Henrique vai bem, as crianças são ótimas, já estou inscrita no semestre da faculdade, o ex não faz falta alguma, não vejo a hora de rever a vovó! Uma hora ela vai precisar saber... Uma hora.

Todo dia eu cresço um pouquinho. Meu corpo se adapta ao meu novo jeito de viver. As pernas parecem mais firmes, as calças, mais largas, as mãos, mais ásperas, unhas sempre pintadas com cores duvidosas. Tenho trincas na pele dos dedos. É engraçado notar mudanças em partes do corpo que há tanto tempo são iguais. Enquanto falo ao telefone com minha avó, pego a tesoura da cozinha e corto meu cabelo. Ficou horrível. Mas eu gostei. Decidimos juntas o nome do barco. Não vai mais se chamar Trinta-Réis, Pepino, ou outros nomes que ela confunde ou não lembra. Vai se chamar *Sardinha*. Nome de um peixe pequeno e pelágico.

Faz quatro semanas que preparo o barco. Achei que sabia muito. Chove, e o vento ameaça crescer.

Estava previsto que iríamos testar a Sardinha. Achei que ainda não fosse tão necessário assim, perto das urgentes instalações. A iminência da partida me deixa nervosa.

É manhã de sexta. Decido ligar para o meu pai. O telefone toca. Enquanto espero, reviso os pontos importantes da conversa. A cada pausa da musiquinha, meu coração bate mais forte. Na garganta, um deserto. A música é interrompida. Ligação perdida. Ligo de novo outra hora, me consolo, sem graça.

Dali a pouco, ligo de novo. Chama. Chama. Alô, pai? Oi, Morena! Para quebrar o gelo, começo perguntando como vão as coisas. Ele me conta do Luiz, que comprou uma canoa linda. Ah, é? Que legal. Eu não poderia ter introduzido a conversa com uma pergunta pior. Dezesseis minutos de descrições ininterruptas da tal nova canoa de Guaraqueçaba. Pai, eu te liguei, na verdade, para contar uma coisa... Morena, eu estou no meio de uma reunião, ele corta. Imagino bem a reunião. O Julio chegando com os limões, o Enos, com um quilo e meio de cerejas e doce de abóbora, a pilha de conchas de ostras e o assunto das canoas, das motos, dos lugares a que só dá pra chegar de barco ou a pé. Assim suponho os encontros do meu pai. Quando eu posso ligar, então? Em umas duas horas. Estava marcado.

Desmonto uma das catracas que estavam duras. Montes de pecinhas delicadas, únicas e interdependentes. Minhas mãos tremem, a gordura espalhada nas mãos cola e descola as peças. A ansiedade amarra meu pescoço. Do rolamento cheio de dentinhos miúdos e grudentos escapa um. Corro com os braços para salvá-lo, e ele vai rolando

calmamente pelo convés e "plup!". Direto para o fundo do mar. A aflição puxou meu tapete.
O Henrique me conforta por telefone: "Ele ainda funciona sem!". Em seguida, é uma micromola que escapa dos dedos. A pecinha fugitiva é um fio enrolado que faz uma espécie de "empurrador" sem o qual o a catraca não trava. É sexta à noite e não tem jeito de achar substituta antes de segunda, dia da partida. Sento-me no chão do barco. Abraço os joelhos e busco me tranquilizar. Sinto raiva de mim por ter tido a ideia de desmontar as catracas. Mas me defendo dizendo que, se não fosse pela iniciativa, passaria a viagem toda com raiva de não ter feito isso. Preciso ser minha melhor amiga. Você tem que se ajudar, não se atrapalhar, Tamara! Respiro fundo, estico os braços e vejo, na manga do casaco, a pecinha pendurada. Achei!

Vai ficando tarde. Passamos o solstício. Os dias, daqui pra frente, serão cada vez mais curtos. As noites chegarão apressadas. Toca o telefone. Dessa vez, não vou bobear, vou logo direto ao ponto. Pai, quero contar que eu também comprei uma canoa! Ele pareceu surpreso. Onde? Na França? Eu estou na Noruega, pai... De qual tamanho? Não é tão grande, mas tem o casco espesso e sei que é forte; e, por sinal, é uma canoa com quilha e mastro. E você vai fazer o que com ela? Digo que vou para a França, pelo menos. Ele pausa. Puxa, é uma viagem longa... Parabéns, Morena! Nos despedimos dessa ligação de sete minutos e meio que pareceu eterna.

Nenhum conselho, nenhum contato, nenhuma oferta, nenhuma sugestão. Não esperaria do meu pai outra postura. Mais nova, eu buscava em vão sua opinião sobre minhas ideias e meus projetos de viagem. "Se você quer fazer algo, faça. Só conta pros pais quando estiver pronto." Entendi que a ausência da sua ajuda me ensinaria a construir meu caminho independente. Posso ir atrás das respostas, posso conquistar os meios, posso abrir novos caminhos. Do meu jeito. Conversaremos sobre a viagem quando eu chegar. Construo confiança a cada passo. Ele não seria omisso se não acreditasse que eu sou capaz, penso, otimista. A caminhada é lenta, mas certa. A autoconfiança é a maior ajuda que eu poderia receber. Só ela me levará longe infinitamente.

Termino de lavar e engraxar a catraca e a remonto com cuidado e rapidez. Falta uma, mas sei que estou cansada. Não vale a pena correr mais riscos. É hora de testar a máquina. Seguro firme no pescoço da catraca, torço com força, espero ouvir girar. Nada. Com mais força. Ela nem se mexe. Perdi a catraca, penso. Não devia ter limpado, não estava tão ruim assim! Raiva da pecinha do rolamento. Pelo menos, ainda há três outras catracas no barco. Tento girar uma última vez. Com dificuldade, ela se move alguns milímetros. Um pouco mais. Um pouco mais. Até que a graxa se alastra pelos vincos e dentes, e ela fica mole e perfeita. É a melhor catraca do barco!

O Henrique chega. Terminamos os ajustes e partimos para o mar. Na partida, erro a manobra. A maré está baixa. Tenho a impressão de receber informação de mais num tempo curto. A sensação é de aprender a dirigir, e vários reflexos necessários não são automáticos. Preciso pensar para ajustar os espelhos, a altura do banco, levantar o freio de mão, ligar o farol de garoa, olhar a quina da esquerda e me assegurar de que não vou bater em ninguém na saída. Subimos a vela de tempestade e a mestra no terceiro rizo. O vento sobe para vinte e cinco nós. Escurece. Garoinha. Vou ao pé do mastro pôr o olhal do rizo e é difícil. Com muita força, ele entra. Enrosco o pé na linha de vida, quase tropeço. Eu a instalei num lugar horrível! Peço pro Henrique dar o bordo enquanto me desenrosco. Repito. Ele não atende. Insisto. O barco parece arribar e ir na direção contrária. Estamos chegando perto das pedras. Tiro-o do leme e tento eu mesma. Nada. Tenho muito medo. E se me faltar força para dar os bordos? E se eu não descobrir de onde vem o problema? E se eu cair na água? Parece que esqueci como velejar. Ligamos o motor, que estranhamente não ajuda em nada. Damos um *jaibe*. Descubro que o piloto automático não funciona mais. Estou tensa, tenho medo, me projeto nessa situação solitária, cansada, sem dormir, com navios ao redor. Nossa mente é a melhor do mundo para nos dar insegurança, ou o contrário. A chuva aperta. É só chuva, é água doce, Tamara. O Henrique parece feliz. Não é ele que vai estar sozinho nessa casca de ovo daqui dois dias, penso, com raiva. Entro no barco, respiro, busco esquecer meu mundo caindo para me acalmar. De repente, parece óbvio que não conseguíamos dar o bordo: estávamos de cara para o vento e sem velocidade! Também é óbvio que o olhal do rizo não entrava: eu precisava soltar a adriça antes de passar o anel. O silêncio do piloto me preocupa muito. Não me imagino por dias com a mão na barra do leme em permanência, sem parar para comer nem dormir. E não há tempo de encomendar outro antes da partida. O motor não nos ajuda a avançar. Perdemos a hélice? Amanhã vou mergulhar para verificar. O Henrique percebe que o botão do neutro está acionado. Estávamos acelerando em falso!

Engatamos, e ele funciona de novo! Estou esgotada. O piloto... Aperta o interruptor, Tamara, pode ser que o disjuntor tenha caído... Aperto o botão e "tiririm!". A sobrecarga nos bordos em falso fez ele desarmar. Fico tranquila: não quebramos nada, tudo faz sentido. Valeu a pena termos saído. Barcos são como cães: quando estão em ação, se transformam. Eu me acostumei às suas formas, mas não ao seu comportamento. No porto ou no mar, ele assume identidades opostas. Dou-me conta do tamanho do desafio que tenho pela frente, e concluo que navegar nesse barco não é natural para mim. Ainda.

No barco, não adianta fazer de qualquer jeito para ir mais rápido: tudo o que não é bem feito na primeira vez terá que ser feito na segunda. E são muitas as missões e muitos os cuidados, porque resolver um problema em terra é muito mais fácil do que quando o barco está em movimento.

As listas se alongam em vez de se encurtar. E se não der tempo? Eu me consolo. Se não der, Tamara, pelo menos nunca estivemos tão perto de estarmos prontas.

MÃE

A CORAGEM MORA NA BORDA DO MEDO

É amanhã a partida. Os quase desastres de ontem renderam uma tensão chata. Às vezes, ela me paralisa. Tenho que desembaraçar, um a um, os nós que ela faz em mim. Estou exausta. Dá a impressão de que isso nunca vai terminar, de que eu posso ficar aqui para sempre. Arrumando o barco, trocando cabos, passando silicone nos buracos, instalando peças imprescindíveis, acrescentando fios na macarronada colorida que atravessa as paredes. Sonho que saía da marina e esquecia o que fazer com as velas para avançar. Preciso testar o barco de novo. Será que fico aqui mais uns dias? Ou vou testando no caminho? Na previsão, o tempo piora progressivamente ao longo da semana.

Recebo uma notificação da Laura :

Oi Mo!
como você tá?
Aparentemente VÁRIAS NOVIDADES...
É verdade que você vem para cá de barco?

Não, Lo!
Vou para a França.

Ah, Tamara! Graças a Deus!
Agora você me deixou tranquila.
Eu nunca sei se devo tomar ao pé da letra as coisas
que o papai me diz.

É uma boa estratégia para a tranquilidade familiar,
penso, essa de anunciar uma distância e reduzi-la a
um pedacinho.

Queimar a ponta dos cabos, costurar o zíper da
capa da vela, uma demão de verniz na barra do
leme, pagar a marina, registrar o nome no AIS,
entramos nos ajustes finais.

Estou exausta. Volto para a casa do Henrique.
Ponho as mesmas poucas roupas para lavar pela
última vez. Falta a missão mais difícil, aquela que
posterguei até o último momento possível.

Mãe? Ela estava no carro com a Nina.

– Amanhã começo a voltar para a França.

– Que bom, filha, lembra de pôr máscara no avião.

– Na verdade, mãe, eu vou de barco.

– Com quem?

– Comigo mesma.

A Nina, ao fundo, diz que eu fiquei louca.

– Mas e a faculdade? É para isso que você está aí! É para estudar, lembra o que combinamos?

– Eu ainda tenho férias, não se preocupa!

– Mas ele, o Henrique, não pode ir com você? E os seus amigos que vieram?

– O plano é ir em solitário.

– Com o barco do Henrique?

– Não, mãe, com o meu.

A Nina, voz ao fundo, diz que é um absurdo, que eu estou em outro planeta, que eu nem trabalho e que dessa vez passei dos limites.

Minha mãe ficou preocupada a meio mundo de distância. Agradeci a mim mesma por não ter contado a ela minhas intenções antes de fazer escolhas, antes de me preparar e estar segura. A opinião de quem a gente ama conta demais. Isolar nossos planos recém-nascidos dos medos alheios é importante para eles ganharem estrutura e dimensão. A gente busca as opiniões que quer ouvir. Até então, só tinha contado para quem eu sabia que apoiaria a ideia.

Sobre a Nina, ela tem razão. É uma loucura. Planejada, projetada, orçada, construída e avaliada. Barcos são mais lentos que carros, são mais desconfortáveis que aviões, são mais difíceis de conduzir que bicicletas. Consomem mais tempo do que qualquer *hobbie*, dão mais dores de cabeça do que qualquer parceiro. Barcos parados são ingratos. Barcos no mar viciam. Não tenho argumentos racionais para querer tanto navegar, além de: é o único meio de transporte que nos permite dar a volta ao mundo em solitário sem parar em lugar algum. É uma loucura sem a qual eu não poderia alçar voos maiores. É a loucura mais sensata na qual eu poderia embarcar. Loucura maior seria deixá-la passar.

Desenho a rota num papel, calculo as distâncias e o tempo estimado de navegação entre as escalas. Envio o trajeto certinho à minha mãe para que ela saiba exatamente o que esperar – e quando. O Henrique mandará notícias minhas, ele me acompanhará por terra. Eu me preparei para isso, mãe.

Pensando bem, nenhuma mãe diria: "Vai, filha, navegar pelo mar do Norte, sem mais ninguém, pela primeira vez". E o medo dela exercita a minha coragem.

PARTIR

Tenho aquele sentimento de porta de vestibular.
Toda a preparação serviu para este momento.
É tarde para abrir mais um livro de história, decorar
uma nova fórmula. É preciso confiar no processo
vivido, convocar os saberes vencidos, acreditar que
mesmo as perguntas difíceis têm respostas. Faz sol
depois de dias molhados. Me despeço da leva e do
par e meio de crianças. O Henrique me leva para a
marina. Agora é comigo, penso. Mantimentos e
mochila no barco. Tenho apenas alguns ajustes a
fazer antes de sair. Gostaria de ter testado o barco
mais uma vez... A última velejada com o Henrique me
preocupou, e a única vez que naveguei a sós com a
Sardinha foi um mês atrás, ao trazer o barco para
Ålesund. Tanto mudou desde então...

Os ajustes levam mais tempo que o previsto. No
intervalo do trabalho, o Henrique aparece com
sanduíches e bolo de chocolate. Vamos velejar,
Tamara, a gente precisa dar uma última volta antes
de você ir. O mar estava mais calmo, o vento, mais
constante. Almoçamos volteando as ilhas em frente.
Deixo meu tripulante e sócio majoritário no pontão
da bomba de diesel. Tchau, Henrique! Aproveito
para encher o tanque uma última vez. Ponho o
cartão de crédito na máquina, deixo-o em cima da

bomba e corro para acionar a mangueira de combustível. Termino de encher o tanque, subo no barco e empurro o pontão com o pé para afastar. Ganhamos distância do cais, cada vez menor. Sinto medo. Sinto pressa. Não estou certa de mim. Avançamos sobre o azul com asas abertas.

A Sardinha está pronta, mas eu, não. Não posso postergar para sempre, mas quero começar com firmeza. Quero ter feito um teste sem problemas para me assegurar das escolhas. É melhor partir atrasada do que queimar a largada. Postergo nossa partida para o dia seguinte, a fim de criar coragem, segurança e sairmos, enfim, confiante de nós duas. Dedico o resto do dia ao ensaio da travessia. Brinco de esconde-esconde das ilhas, de pega-pega com o vento, de jacaré na corrente, até o medo ficar pequeno e a vontade de ir mais longe reinar por si.

Volto com pouco vento. Com corrente contra. Com o cair da noite. Reviso os últimos passos, faço uma conferência mental dos documentos que estou levando. Licenças do rádio, OK; passaporte, OK; contrato de compra, OK; cartão de crédito...
O CARTÃO! Ficou na bomba do posto de gasolina, muitas horas atrás. Droga! Como farei a viagem sem dinheiro? Quero chegar rápido, mas a corrente não ajuda. Torço para os noruegueses serem tão corretos quanto diz o estereótipo. É sexta à tarde, o banco está fechado. Levo duas horas para ver o cais de longe, duas horas me acostumando à desesperança, planejando alternativas que não envolvam horários comerciais em dias úteis nem correio. Encosto no cais do posto meio que querendo nem ver. Em cima da bomba, exatamente onde o deixei, estava o bendito cartão. Eu amo a Noruega!

Segundo último banho quente ao chegar, segunda última noite em terra, segunda última despedida no café da manhã. De novo, na marina, me despeço do Henrique. É uma despedida silenciosa. Sabemos que, de certa maneira, ele seguirá conosco na viagem. Eu não poderia estar mais feliz. Ele me ajuda a soltar as amarras. Vou sentir falta desse lugar que virou minha casa. Lembro-me de uma conversa com minha tia, que ela assim concluiu: "Ser livre é ter para onde voltar". Se eu precisar, é para cá que voltarei.
O porto vai diminuindo. A vaga vazia não será mais ocupada por este barco. Partir já é uma vitória. Só nós sabemos o que vivemos para poder viver agora. Faz um dia de sol. Desses que fazem velejar parecer tão fácil. Desses que nos fazem querer contornar o mundo. Em poucas horas vejo os lugares que me assustavam. Não estão mais tão assustadores. Minha mãe me escreve. Parece começar a aceitar minhas escolhas.

– Minha filha, eu não sabia quando, mas uma hora isso ia acontecer.

Obrigada!

ÅLESUND-FLORØ

De tarde, tento dormir e as preocupações me invadem. Deixar o barco navegando sozinho e me desligar por vinte minutos parece loucura. E se o piloto parar? E se batermos em um barco de pesca? E se formos em direção a uma pedra? Esses e outros pensamentos ocupam todos os minutos de um sono potencial. São preocupações imensas, de um contexto tão extraterrestre quanto a minha vida terrestre parece ser agora. Quanto mais cansada, menos difícil é ceder ao descanso. Eu me acostumo aos intervalos, às pausas, ao lugar, ao jeito de navegar. Vou aceitando a ideia de acreditar na minha avaliação dos perigos, das distâncias, me acostumo à ideia de acreditar em mim. Não haveria pedras no caminho porque eu estudei o trajeto. Não haveria navios vindo na minha direção porque eu olhei ao redor, calculei o tempo de segurança, deixei o rádio ligado, verifiquei os instrumentos. Se o piloto falhasse, eu seria acordada pelos movimentos estranhos do barco, o vento batendo nas velas, haveria espaço para o barco rodar.

Navegar em solitário é um exercício permanente de autoconfiança. Confio no nó que me prende ao barco, nó que eu mesma dei. Confio nos equipamentos de segurança que escolhi, carreguei, preparei, vesti. Confio no som do motor que eu verifiquei. Não há quem culpar se algo der errado. Não há quem corrija meus enganos. Não há quem faça o que estou cansada demais para fazer.

Noite longa. O suporte do piloto automático que eu fiz não funciona. O silicone que pus na peça cedeu e o piloto está escapando. O Henrique me liga. Ele sugere preencher o espaço do silicone para tirar o jogo. Confesso a preguiça de sair para arrumar isso agora. Finalmente tenho um espaço livre pela frente e começava a pensar em dormir. Mas, se eu não tratar esse problema já, pode ser bem mais difícil resolver depois. Enfio palitos de fósforo no lugar do silicone, cubro com fita. É provisório, mas acho que vai segurar por algumas horas.

Estou num canal cortado por uma ponte. Escuro total. Atravesso os verdes e os vermelhos do caminho. As pontes assustam um pouco. De baixo, sempre parece que o alto do mastro vai bater. Tem pouco vento. Logo depois da ponte, vejo as balizas vermelha e verde. Não enxergo bem no escuro, e a vela da proa encobre parte do campo de visão. É estranho, tenho a impressão de que as cores das balizas estão invertidas. Não mudo a rota. Talvez tenha mudado o sentido do canal. Só por desencargo de consciência, entro no barco para pegar a lanterna. Jogo o feixe de luz a um metro de distância na frente do barco. Lá, onde achei que veria água, há uma ilha de pedras, com arbustos e tudo. Era tarde demais para desviar. Sob as velas, não posso dar marcha a ré. Faço uma curva e escuto o som da quilha batendo nas pedras do fundo. "Pá, pá, pá", batidas secas. A cada pancada, meu coração aperta. Depois a gente sente, agora vamos sair daqui. Ganho distância das pedras, retomo o canal que bifurca. Me concentro em terminar a passagem. De vez em quando, espio para ver se tem água entrando pelos parafusos da quilha. Mente a mil, sangue-frio.

Não posso mais me dar ao luxo de ignorar intuições. Percebi algo estranho e demorei para conferir. Já pensou se a viagem acaba antes da primeira parada? As partes mais incertas foram conquistadas: consegui preparar o barco, consegui tranquilizar minha mãe, pude partir, e, então, bato numa pedra logo na primeira noite no mar? Agradeço a Pelle Petersen, que projetou um casco tão exageradamente espesso. Agradeço à Sardinha, que aguentou o tranco. Não saio mais da barra do leme. Em algumas horas, vejo as luzes de Florø. Exausta, preparo os cabos e as defensas. Setenta e cinco milhas feitas. Merecemos dormir.

O barco vizinho tem quatro alemães da minha idade. Eles me emprestam resina epóxi e furadeira, e consigo reparar o suporte do piloto. Grande ajuda! Florø pareceu bonita, apesar de não a ter visto. Duzentas e cinquenta milhas a fazer em três dias. Precisamos tocar viagem.

SÃO PAULO-FLORØ

Como você tá, Lo?

Beem
Trabalhando rsss

Foi legal a carona com o meni?

Foi ótima a viagem
Por sinal
HAHAH
Superou todas as expectativas.
E VOCÊ
Tá por quais mares?

Bati o barco numa pedra
mas bem rápido
aí n deu nada (a princípio) kkkkk

Você pode colocar um adesivo no seu barco
Do meu patrocínio
De 21 reais do Spotify
Aí coloca o logo deles tbm
Pra dar moral
kkkkkkk

Mas que pedra foi essa
Mlds

Meu
vou te contar, hein
eu pensei "vou ficar bem atenta com os pontinhos
vermelhos que sinalizam pedras e escolher melhor
caminho para evitá-las"

pensei nisso olhando essa carta, né?
(carta sem *zoom* mostrando uma mancha amarela
de terra e água azul em volta) aí eu dei um *minizoom*
(carta com MILHARES de pontos vermelhos em
todos os lados)

MEU DEUS

POISÉ

Tô em choque
tudo isso é pedra?

É. Por dentro ou por mar aberto, tava
predestinado a ser OSSO.
Olha aqui o caminho "mais seguro".

Mas qual rota as pessoas fazem?

Elas podem ir de helicóptero, por exemplo
Acho que ainda n puseram pedras no céu
(mas eu n teria tanta certeza)

Aqui foi minha batida
eu confundi o verde e o vermelho pq n sabia se
estava entrando ou saindo do canal, já q eram só
ILHAS

e tava escuro COMPLETO eu n via nada
Nem o verde e o vermelho, eu só via quando
passava a lanterna em cima e refletia a luz da
lanterna
E não é que eu bati num fundo rasinho não,
Eu bati numa ilha com pedras com árvores e td
kkkkk

HAHAHAHA

Meudeus

Deve ser bem complicada essa hora

Tipo quando a gente bateu na baía Margarida

Que bom que está a salvo

E o barco também
Ainda bem que esse ainda não é o barco a *foil*
Teria sido um começo de aventura _flop_

Excelente mudança de planos

Tô indo pro porto.
Onde vou dormir umas horas
Até sair de novo
Tô exausta

É mt difícil fazer sonecas de 20 min
A gente fica achando que o barco vai bater em
algo ou que o piloto pode parar de funcionar e n
consegue dormir
E quando começa a pegar no sono
já acabaram os 20 min
Tem que se vestir e sair p ver lá fora
Tenso
E quando tem pedra n dá pra dormir nem isso

N tem nada a ver com velejar com outras pessoas e
poder dormir sabendo que tem alguém olhando
Mas OK

Estamos aprendendo
E boatos que o corpo é "extremamente adaptativo"
Kkk
Esperamos

Imagina

O *stories* da partida nem saiu do ar e já teria
o *stories* da chegada kkkkk

Mas como disse o Henrique no dia da compra
"esse barco é inquebrável. Você pode tacar
ele nas pedras e não quebra".
FEITO O TESTE.

(Mas ainda não chegamos...)

Onde você tá agora?

Parou em algum lugar para dormir?

papai falou que você tem um negócio q você
pode ativar e usar p pedir socorro

e aparentemente da p mandar mensagem por
ele

mandar piadinhas rs

rs
só falta eu aprender como ativa
Kkkk

HAHAHAH

vai ser útil quando eu tiver nas
travessias longas
vou poder ler as piadinhas com o tom
da sua voz

vai ser ótimo

vou querer receber também

INVISÍVEL

Sol e calmaria. Mar de azeite. As franjas das cordilheiras têm árvores de um verde gritante. Linda passagem pelos fiordes. Às vezes, o mar parece um campo livre. Mas, rentes à superfície, se escondem rochas pontudas que só vejo na carta. Zigue-zague entre pedras aflorantes e pedras invisíveis. Preciso contar o atraso do GPS para desviar dos dentes das montanhas submersas. Passamos por vilarejos onde dá vontade de parar. Atenho-me aos planos, são eles a razão dessa passagem.

Acho que vou ficando maluca de estar em solitário. Abro o celular à procura de novas mensagens, mesmo quando não há sinal. Sinto falta de alguém para dividir elogios à paisagem, preocupações com o trajeto, alguém com quem rir dos tropeços bem resolvidos. Quando há sinal perto de uma cidade, falo com o Henrique. Ele me indica o próximo porto abrigado, me consola nos momentos de frustração. Choro de saudades ao telefone. Essas conversas farão falta longe da costa.

Sempre gostei de estar só. Mas estar em solitário é diferente de não poder estar junto. Em terra, ouvir a voz de alguém não tinha tanta importância quanto tem agora. É consequência da minha escolha, faz parte do meu treinamento. No dia em que fizer viagens mais longas, terei de saber conviver com a solidão. Ainda tenho a voz da minha irmã ao telefone, a voz do Henrique, da minha avó de vez em quando. Desfruto desses pequenos milagres que são as conversas transoceânicas.

Minha avó insiste que eu deveria escrever um livro sobre a viagem. Como posso pensar em contar uma história que ainda não aconteceu? Tento imaginar por onde começarei a narrar o que ainda vou viver. Na chegada, o que terá importado? Quais conversas, quais encontros, quais decisões, erros e acertos farão sentido? Haverá assunto suficiente para cobrir papéis de palavras? Haverá páginas suficientes para que o livro tenha lombada e capa? Haverá problemas a narrar para que o livro não seja chato? Eu vou sobreviver a esses problemas para contá-los?

A rota para Bergen tem muitos navios. É difícil dormir, mas não é impossível. Me deixo cair no sono e acordo segundos antes de o despertador tocar. A passagem final é retilínea e, mesmo com os intervalos curtos de sono (7 minutos, 3,5 minutos, 15 minutos, 9 minutos), consigo descansar. São duas da tarde quando acho uma marina e encontro a Camilla à minha espera. Amiga de muitos anos, ela visita o barco e me leva para conhecer a cidade. Apesar de interessada nos fatos históricos e nas curiosidades arquitetônicas, eu vivia secretamente um *tour* zumbi. Foi legal passear, mas amei voltar. Dormi, exausta.

(Menção de agradecimento ao Alex, meu vizinho na marina privada onde entrei clandestinamente; ele quebrou meu galho pondo a chave do portão num esconderijo para eu poder passar pela porta e voltar para o barco de tarde. *Tusen takk!*)

PERIGOS

Muito vento. Vamos a sete ou oito nós sem esforço. A corrente deve nos ajudar também. Tenho medo, mas não vou reclamar de estarmos indo tão rápido. Quebramos algumas coisas (óbvio), mas vamos aproveitar o vento de popa que acaba amanhã cedo. Converso com o Henrique sobre parar em Farsund ou tocar direto para a Dinamarca. Ele contata pais de amigos que podem me receber no próximo porto. Promete banho quente, pessoas simpáticas e máquina de lavar roupa. Teremos pouco tempo em Føresvik. A genoa fica cambando quando as ondas sacodem o barco. Desço a criatura. Vou aproveitar que o caminho está mais livre para dormir agora.

Volta e meia fico em dúvida sobre como escrever certas coisas. Parece que o fato de pensar em um livro subitamente torna as palavras mais definitivas, como por natureza elas são. (Como naquele dia, que parece já tão distante, quando o Juha perguntou se eu podia pagar pelo barco e eu disse que só tinha dois terços do valor e ele disse tudo bem e eu disse a mesma coisa. Foi bem definitivo isso.) Palavras com peso, palavras com consequência. Eu me pergunto por onde poderia começar este livro. Talvez, pelo começo. Mas o começo existe? Se existisse, onde estaria? O que o começo faria, quem seriam seus amigos? Quais seriam suas aspirações de jovem adulto? Será que eu reconheceria o começo se andasse nas ruas do passado e o visse na fila da farmácia? O começo envelhece? Acho que sim. Ele envelhece e pode até ficar caduco. Não é como o fim, que é sempre jovem. E de poucas palavras.

Está escuro. O vento aumenta, as ondas crescem. Os sons do mar e do barco parecem falar mais alto. O barco iluminado parece ficar maior. Os navios têm mais destaque de longe. E, de perto, são imensas cidades móveis a nos cruzar. Eu me sinto mais distante da terra, dos outros, mais perto de mim. Lembro-me do meu cansaço, das dores no corpo, e é quando me dou conta de que estou vivendo algo extraordinário, é quando me sinto bem comigo.

Muito vento. Ondas grandes. Eu me assusto. O barco está na iminência de fugir do meu controle. Não vou reclamar de estarmos indo tão rápido. Quero chegar logo para poder dormir. Este trecho requer ainda mais atenção. Balizas e cargueiros à frente. As luzes embaralhadas. Deviam ajudar a navegação, mas é impossível medir distâncias entre os pontos luminosos e supor o jogo dos pontos que forma a entrada do canal. Tento economizar a bateria do GPS. Vou precisar dela na chegada. Estou numa autoestrada de navios. Desvio dos grandes caminhões com minha bicicleta. Será que me veem? Preciso gerir o vento, as direções do trânsito, as ondas que nos chacoalham. Estou molhada de mar. Segura firme. Atenção total. Devo virar agora? Ou espero um pouco até ter margem para arribar? Tensão da mandíbula aos dedos dos pés. Não vai rolar cochilar com esse tráfego intenso. O AIS apita sem parar. Meu GPS não carrega mais. A boreste e a bombordo, cais com navios estacionados. Passo por baixo de uma ponte, não vi o navio que vinha atrás, e ele joga sobre a Sardinha um canhão de luz que me surpreende. Aviso no rádio que vou dobrar a esquina a bombordo, saio do caminho.

O vento ameaça cair. Engatinho até a proa para subir a genoa. Sinto sempre apreensão de ficar na proa de noite, como se a noite aumentasse o risco de cair no mar. Apesar da apreensão, gosto de navegar no escuro. Føresvik. Mais algumas horas, e estaremos lá. Estamos quase, Tamara.

Não entendo direito o porto de Bokn. Seu começo, meio, fim. Há muitas casinhas coladas ao muro do cais. Como se os barcos parassem na soleira das portas de entrada para procurar as chaves no bolso, passassem pela porta e entrassem para dormir debaixo dos telhados. Fariam coisas pessoais sem ninguém ver.

Atrás de um pesqueiro, encosto e amarro a Sardinha. O dia começa a nascer. Caio no colchão e mergulho profundamente por três horas. Acordo pouco antes de o Arne chegar. Ele e a Sigrun me levam pra casa: café da manhã com ovo, tomate e salmão. Tomo banho (depois de três dias!). Que prazer sentir água doce e suave escorrendo da cabeça aos pés. Eles me mostram a horta, a garagem, a estufa com plantas. Sinto-me acolhida, feliz. Sou convidada a jantar e dormir numa cama de verdade.

É tentador.
O vento acaba em dois dias. Não quero me demorar para aproveitar as condições. Agradeço o convite e

eles me levam de volta à Sardinha. Faz um dia lindo. O sol seca o barco que estava úmido havia dias. Meus anfitriões me presenteiam com maçãs, uvas e cenouras do jardim, um novo carregador para o GPS e até diesel! O vento é fraco. Eles soltam minhas amarras. Deixo o cais com a sensação de que teria sido legal ficar mais um pouco... sensação de que eu podia fazer a magia do encontro perdurar. Desejo um dia soltar âncora num lugar em que eu me sinta em casa. E desejo poder, por mais que seja longe das minhas origens, permanecer.

Os perigos de uma viagem também estão em dias de sol e boas companhias. Mas é preciso ater-se aos planos para conquistar o prazer de concluir uma travessia.

NOITE

Não consigo dormir. Tenho medo de o piloto falhar e de batermos na costa enquanto durmo. Só consigo cochilar quando chego à exaustão. É perigoso, porque começo a ignorar alarme do AIS, que, por sinal, é frequentemente falso e me faz passar uma raiva danada.

Entro em Farsund para tentar descansar. É uma escolha ruim, mas estou feliz em tê-la feito. Perdemos muito tempo entrando na baía, mas faz sol, cruzamos pescadores, dançamos entre as pedras, mal acredito que chegamos ao fim da Noruega. Quando vejo o traçadinho do trajeto me dou conta de que já foram quatrocentas milhas! Em solitário! Dois meses atrás, não poderia imaginar que isso aconteceria. Minha mãe está apreensiva, mas também orgulhosa. A Laura disse que ela não sabe se assume a postura de ser protetora ou de ser fã. Estou feliz por ter feito as decisões que me trouxeram aqui. Estou descobrindo ser capaz de mais do que eu pensava. É tanta animação que não consigo dormir! Passo as três horas da escala no telefone, comemorando com minha avó, minhas irmãs, o Henrique, a primeira etapa cumprida. Minha mãe tenta me segurar e me dar corda. Para a minha família, ela diz que é um absurdo o que estou fazendo. Minha avó diz que ela não dorme de preocupação. Mas ela escreve para os amigos orgulhosa. Ser mãe deve ser alucinante.

Comemorar os pedaços torna o trajeto total menos assustador. Festejar as etapas vencidas dá coragem para enfrentar o porvir. É por isso que escrevo este livro, aliás. Quero me lembrar do que fiz para criar coragem e fazer mais.

Dinamarca à frente. Achei que haveria pouco vento, mas estamos mantendo cinco nós. Poucas ondas, enfim poucos navios. De vez em quando, vou à proa, sempre com muito cuidado. Preciso dormir. Não dormi mais de três horas desde que saí de Føresvik, há dois dias. Mas não tenho vontade nenhuma de deixar de ver esta noite. Devo chegar mais cedo que o previsto. É o trecho mais longo da viagem até agora. E cada trecho seguinte deve ser maior que o anterior. Também é o primeiro pedaço sem nenhum sinal de celular. Faz certa diferença...

Sinto falta de ter minha mãe lendo meus textos e dizendo "que palavra difícil! Troca ela porque eu não entendi nada", "ótima frase, pega o título daí" ou, às vezes, "você é muito boa. Poderia viver disso", contradizendo sua postura incompreensiva que diz para eu me formar primeiro (se bem que nem é tão contraditório assim...).

A noite cai colorida. A lua, uma bola branca que flutua atrás da borda do mar. De noite, o barco é um mundo à parte do mundo. É tudo o que vejo. Sem luzes ao redor, sem sinais de outras existências, sinto que a Sardinha e eu poderíamos estar em qualquer lugar e qualquer tempo. Em outros oceanos, outras galáxias, outras gerações. Idade, tamanho, origem não importam aqui. Somos tudo o que temos: uma e outra. E só nós podemos nos fazer chegar ao fim dessa linha que traçamos na carta.

Eu me deito por vinte minutos. Visito lugares, barcos, pessoas. Encontro amigos de infância, pessoas para quem não dei importância, mas que também me fizeram ser quem sou. Um som ritmado e repetitivo. Pegamos estrada, cruzamos com um vendedor de milho verde. A música nos persegue. A Nina volta porque erraram o troco. Ah! Faz tempo que dormi?

Pulo para fora a fim de ver se ainda estamos sozinhos e longe da terra. Aproveito que estou de pé e subo a genoa. Na correria, me esqueço de vestir o colete. Susto. Durmo de vinte em vinte minutos e acordo com o sol. Som das velas batendo. Acabou o vento. Preciso de outra solução de alarme.

O mar espelha o céu. Uma gaivota pousa na água atrás de nós. É seguida por outra. Logo, há uma população de gaivotas admirando e seguindo o barco, pateando a água azul. Sol e calor. Fico de *shorts*. Ligo o motor. Escrevo o diário, faço vídeos.

Às vezes, sinto que os vídeos me deixam louca. É como se eu me pusesse num contexto estrangeiro ao momento presente, é como se eu me tirasse daqui e me pusesse num espaço imaginário e apático e falasse com pessoas impossíveis. Outras vezes, sinto que conversar com os vídeos mantém minha cabeça no lugar, enfileira os dias, faz dos eventos estranhos parte de uma história única e lógica.

Confundo-me entre viver e registrar o que estou vivendo. De modo que, às vezes, sinto viver registrando; outras vezes, sinto que registrar é o

que me faz viver. Dou-me conta de ter a contar ao
estar contando.

Quase cem milhas. Eu me demoro. Não quero
chegar. Tiro o balão do saco, aprendo a montá-lo.
Erro muitas vezes. Gosto de estar onde estou.

Vejo a linha da terra.

SÃO PAULO-FARSUND

Oi moooo

tive um sonho horrível kkkk

olha como tá bonito aqui!!!

bom saber que está tudo bem

tava até tirando os pelos da cara kkk

HAHAHA importante
Smp nos perguntamos como as velejadoras faziam

Tô saindo agoraaa da noruega!
Umas 20 e tantas horas sem poder falar com
ninguém.
E parabéns mais uma vez pelo seu bônus!!!
Daqui a pouco você já é uma empreendedora do
design.

Boa sorte, mo!
Definitivamente suas aventuras têm outra dimensão
Kkk

Espero que esteja com saudades de mim pois eu já
tenho saudades de falar com você!

Mds tamara
Já tá perceptível a carência social

(as pessoas já tão reparando kkk)
Nem vou precisar ligar o spotify
Vou ouvir seus áudios em *looping* para dar um gás
kkk
O perigo é fazer xixi enquanto eu rio

Mlds
Não.
Pq n vai poder tomar banho

MEDO

O cheiro de ração de peixe no ar é o mesmo desde a última vez em que estive em Thyborøn. Quem diria que eu voltaria para este porto tão cedo? Cruzo os mesmos navios que cruzamos em julho, parados nos pontões. A mesma orquestra de gaivotas povoa de sons os ares da cidade. Será que a cidade imagina a importância que tem para mim? De novo aqui, mas é tão diferente entrar nesse mesmo lugar. Entrar no meu barco, entrar acompanhada de mim mesma, parar no pontão onde aprendi a manobrar.

Amarro o barco contra o vento uivante. Desço com a mochila do banho. Passo pela cafeteria onde nasceu a ideia desta viagem. Está fechada, mas, pela janela, vejo a mesinha encostada no mapa na parede. Tantos passos me distanciam e me aproximam dali. Acasos, descrenças e preguiça poderiam ter feito essa ideia ser só mais um plano utópico, desses que costumam nascer entre cervejas, águas com gás e pessoas motivadas durante uma viagem. Seria mais fácil não dar ouvidos ao chamado. Seria mais confortável esquecer que era possível. Quantas grandes chances nós deixamos passar por apostar no fracasso, mais do que na possibilidade de acontecer? Agradeço à Tamara de um mês e meio atrás, que ralava para estacionar um barco sem bater no muro, que nunca tinha comandado um barco, que não pensava em possuir um veleiro tão cedo, que aceitou um convite e embarcou numa ideia de um cara um pouco maluco e que me trouxe de volta a esse café. Assim.

Caminho para o vestiário do porto abrindo a previsão do tempo. Imaginei estar na Holanda em três dias, mas não previ que o tempo viraria contra. Paro no meio-fio da rua. Lembro a calmaria de horas antes. É claro que o tempo ia mudar!

Tenho tendência a achar que o sol de um dia será seguido por sóis de muitos dias, que a boa conversa com um amigo será seguida por outras boas conversas, que as pessoas que conhecemos terão sempre a mesma idade, o mesmo humor, a mesma energia.

Tenho tendência a acreditar que hoje será seguido de muitos dias que se parecem com hoje.

Mas o calor e a calmaria são convites à frente fria.

Estou apavorada com a ideia de sair amanhã. A previsão anuncia más condições daqui até a Holanda. Tenho medo do mau tempo, das ondas maiores que aquelas que já peguei, dos navios, da chuva que esconde o horizonte, de ficar sem piloto e sem sono. Medo do medo e dos seus exageros. O medo contamina as dúvidas, se embrecha nos vazios, entre as certezas, veste os olhares e confunde o olfato que fareja perigo. Sem saber como externar o medo, eu choro. Olhos como cataratas.

Vai, Tamara, o barco aguenta. O Henrique parece não se importar com o que me assusta.

Penso em experiências passadas de condições difíceis no mar. O risco de quebrar algo, o risco de chegar à exaustão, o risco de prolongar esses três dias de mar e vento contra. Difícil enxergar a fronteira entre o medo e a precaução.

Se eu não sair amanhã, terei de ficar aqui por um período indefinido. A menos que a previsão mude subitamente, o tempo permanecerá contra pelas próximas semanas.

Preciso tomar uma decisão. Os dias ficarão mais curtos, as noites, mais frias, as ondas, maiores, o vento, mais forte. O Henrique me sugere partir. É confortável se basear nas opiniões dos outros. Mas eu não sinto. Escolher é assumir a responsabilidade que nos pertence. Escolhendo a gente se faz livre. Vou acreditar na minha própria experiência e ficar.

CONTRA O VENTO

Olha essas fotos do barco!

Que medo

e a mamãe achando q eu vou navegar até a
Holanda nesse tempitcho
só p ver o boy de Amsterdã
kkkkk
Qual a chance
Nem se fosse p ver a fada do dente eu iria

HAHAHA
arriscando a vida
quem fez a foto?

é uma técnica mt avançada que estou
desenvolvendo
Você cola a câmera com velcro e deixa ela filmando
E depois quando você achar 1 segundo no foco você
tira print da tela

Ah
pq ficou mt boa

Atualmente sou fotógrafa de printscreen

kkk

Abro a previsão torcendo contra. Contra o vento de oeste, sempre insistente, contra as ondas que montam o areal dinamarquês. Amarro os objetos soltos, visto minhas camadas e saio para encontrar a origem dos meus medos. Logo na saída do porto, a Sardinha encontra as ladeiras brancas de espuma.

Se decidi ficar, foi para me preparar e seguir em frente com firmeza. É para estar pronta para o dia em que eu não tiver escolha entre ir ou não ir. É para saber do que ter medo nos meus medos. É para não me assustar com o tamanho das ondas, com a voz e a força dos ventos, é para me habituar às condições difíceis, aumentar minha margem de tolerância. É para não me deixar paralisar frente ao indesejado. É para quebrar o que for e aprender a consertar. É para estar segura e certa no dia em que eu encarar uma tempestade em alto-mar. Escalamos os montes que nos empurram, que nos encharcam, que nos reviram por dentro. Às vezes, fecho os olhos para me acostumar às sensações, para ver o que eu veria de noite. O barco sofre ao subir as ondas e, logo que as vence, é puxado de volta para trás. Não há por que lutar contra o vento. É preciso driblar suas vontades e ziguezaguear suas bordas aos pouquinhos.

Pensava no que disse meu pai, na noite anterior, em mais uma dessas conversas que para mim são tão curtas e, para ele, são intermináveis:

A tempestade não é um problema, Morena, quando ela empurra o barco. Desmanchou a neblina de anseios e confusões.

Ao atracar de volta no porto, a origem dos meus medos tinha forma, cheiro, gosto e cor. Ela não era mais uma nuvem espessa e infinita, mas um objeto preciso num contexto particular. Contra o vento, eu sofria com a Sardinha. Dávamos tudo e continuávamos no mesmo lugar. O barco estremecia por inteiro, e eu também. Ao voltar, as ondas nos carregaram, surfamos sem fazer força, foi tão fácil! A gente precisa visitar nossos medos para separar os perigos reais dos imaginários, para encará-los, se preciso, para descobrir quanto deles é invenção. Apenas onde há medo pode haver coragem para vencê-lo.

Se o vento forte de oeste seguir as previsões, vou me atrasar para o começo das aulas na faculdade. Ligo para minha mãe, explico as condições para ela não se preocupar. A minha vida acadêmica foi motivo de grande atrito entre nós duas. De certo modo, as minhas escolhas a preocupavam desde o ensino médio. Terminei a escola com depressão. Chorei sem razão durante as aulas de revisão, tive branco nas provas finais, me isolei, me pus em perigo. Minha mãe não sabia o que fazer. Entrar na faculdade não era mais o maior desafio a vencer. Vi meu projeto de estudar em outro país partir-se em mil pedaços. Perdi o chão e as paredes com a partida do meu avô. Confundi a hora do fim do vestibular. Senti-me infinitamente inútil.

Foram tempos difíceis, mas não estive só. Comecei a fazer terapia e a desembolar os nós antigos e apertados que tomavam minha atenção e minha razão. Encontrei abrigo nos braços dos amigos próximos (Fabrício, Fê, Rafa), de alguns professores (Lavoisier, Aninha, Blaidi, Glorinha), das colegas de sala que viviam momentos parecidos. (Não imaginam quanto sou grata a vocês.)

A depressão deixa a gente sem saída. Como se todo o esforço do mundo fosse insuficiente para conseguirmos o que queremos e merecemos. Como se não houvesse jeito. Como se não houvesse sonho possível, sucesso, coragem, amor. Ela faz a gente se anular, naufragar antes de subir a bordo.

De pouco em pouco, me despedi dos nós e deixei de tropeçar nas curtas e nas longas caminhadas. Eu me fortaleci, me tirei de um poço. Valia a pena sair, lutar, perseguir ambições. Quanto mais me tornava adulta, mais eu sentia o peso das expectativas dos outros – faz parte de crescer, ser visto como grande! Mas eu não precisava me encaixar nelas: as expectativas dos outros pertencem aos outros, não a mim. Em vez de fugir dos perigos – da decepção, da reprovação, dos medos –, eu os acolho, eu agradeço a todos eles, eu os deixo partir. Cada desafio me traz um aprendizado, cada dificuldade vencida em terra me prepara para o mar.

No barco, as ondas nos encharcam, nos sacodem; o vento nos empurra ou nos impede de avançar como queremos. Meus pensamentos têm que me dar forças, não as tirar de mim. Os obstáculos são grandes o bastante, e eu sou a única capaz de vencê-los. Sou minha melhor amiga e me ajudo a transpor cada um deles.

Com a Nair, minha psicóloga, toda quinta-feira eu me preparava para perseguir meus sonhos. Vencer a depressão foi parte do treinamento. Aceitei que não seria boa em tudo. Entendi que não valia a pena lutar pela aprovação do meu pai – só eu habito minha pele, só eu vivo essa minha vida. Não valia a pena insistir na ajuda dele – ele me ensinaria a navegar não me ensinando. Eu teria de ir atrás dos meios de aprender. E aprenderia que posso aprender sempre.

Passei nas faculdades que escolhi. Prolonguei meu curso trabalhando em pesquisa, cursando disciplinas em outros institutos, estudando línguas, saindo para remar antes do nascer do sol. Minha mãe achava que eu me perdia. Eu me encontrava em cada coisa que fazia. Nenhum curso pronto me ensinaria a ser o que eu queria. Mas faculdade não serve para nos ensinar a ser alguma coisa, não serve para nos dar informações. A faculdade nos faz pensar. O pensamento nos leva a tantos lugares quanto aqueles em que a gente pensa.

Outras cidades, outros países, outros oceanos. Ficou difícil para a minha mãe acompanhar meus planos. E ela sempre se preocupava quando eu parecia me distanciar de me formar. Mas, dessa vez, foi ela quem disse:

– A gente busca os conselhos que quer ouvir.

Como dizia Françoise, minha professora de projeto: "A missão do arquiteto é transformar inconvenientes em vantagens". Se eu não parti, foi para aprender mais do que se tivesse partido.

Saí sem piloto automático de propósito. Que caos! Dei um minivexame na saída, chegando muito perto dos outros barcos enquanto corria para lá e para cá. Subir a vela grande já é uma bagunça naturalmente, pois as costelas da vela se enroscam em mil cabos enquanto o pano chacoalha. Puxo, solto, xingo e desabafo com a barra do leme entre os joelhos. Abro um livro sobre navegar sem piloto e tento seguir as instruções amarrando cabos e elásticos em lugares improváveis para o leme se corrigir naturalmente quando muda de rumo. A defensa cai na água. Procuro-a entre as ondas, tento duas vezes. Na

segunda, engancho-a na vara e puxo pra cima.
Os caras do porto devem pensar que enlouqueci.
Desvio das boias da entrada, consigo sair da baía,
encontro o equilíbrio do barco, e ele navega sozinho!
A esse ponto, as ondas eram o de menos. Dava
vontade de seguir desse jeito até a Holanda. E se?
Uma onda nos pega de lado, voltamos encharcadas
e felizes para casa.

Encontro outros velejadores. Eles me viram
navegando e acharam que eu estava em perigo.
Trocamos contatos e planos. Eles vão aproveitar
as curtas janelas desta semana para descer aos
pouquinhos pela costa. É tentador imaginar navegar
com outros barcos. Mas, para mim, fazem mais
sentido longas distâncias no mar aberto do que
pernas curtas com entradas e saídas de portos
desconhecidos. Fico aqui, treino como previ, e saio
quando aparecer a janela grande.

Eu me sinto só. Às vezes, me sinto maluca ou
imensamente carente. Faz falta abraçar alguém,
estar com minhas irmãs, me sentir "enraizada",
ter certeza de que minha casa estará no lugar de
sempre. Faz falta não precisar ser minha própria
fonte de carinho.

Tem vezes em que choro de saudades da Laura.
Ela me faz falta demais. Penso nas coisas que ela diz
e que fazem me sentir acolhida. Fico contente quando
posso participar da vida dela, dar e receber conselhos
e carinhos (aliás, será que a Laura nunca tem vontade
de abraçar? Ou será que ela só não pede?).

O barco tem isso de nos permitir levar nossa
casa para os lugares, e tê-la onde a gente está.
Ao mesmo tempo, sabemos que a nossa casa de

hoje pode ter partido amanhã, que as sementes que plantamos talvez não vejamos crescer, florir ou dar frutos, que as amizades que a gente faz no caminho talvez não tenham tempo de se fortalecer e amadurecer.

Sempre novo. Um novo porto, uma nova ponte, um novo vizinho, um novo grande amor, e a gente vai deixando um rastro de pontos abertos.

ABRIGO

Faz uma semana que este porto virou meu endereço.
Todo dia acordo e vejo a previsão, que mudou várias
vezes desde então. Já fiz e já desfiz os planos para a
faculdade. Defendi ontem minha dissertação de
master (enfim!) a distância. Descobri por que o
plotter não liga. Não tenho mais corrente elétrica.
Ligo para o Henrique, como faço quando tenho
grande problema, solução ou motivo para
comemorar. Divida e conquiste, ele diz, rindo e
falando sério. Tiro e ponho todos os fios, ligo e
desligo o motor, parece que o alternador não
carrega mais o banco de energia. Ai, ai... Desligo
tudo para preservar as baterias. Passo a noite sem
luz, janto perto da janela, aonde chega a iluminação
do poste da rua. Escovo os dentes sem ver grande
coisa. Vou dormir cansada e preocupada, mas a
exaustão me faz parar de pensar e adormecer num
segundo.

Acordo e não vejo a previsão! Começo logo pelo
multímetro. O painel solar carrega as baterias um
pouquinho (apesar do céu nublado). Tento consertar
eu mesma, mas preciso aceitar que não posso ser
tudo (velejadora, mecânica, cinegrafista, escritora e
eletricista é impossível...). Saio à procura de ajuda.
Os pescadores me concedem um número de telefone

(como se indicassem seu cardiologista de confiança). Ligo para o famoso Per, que me manda um cara tatuado e careca chamado Dan. Ele pega seu multímetro/amperímetro e, como um médico, vai espetando em muitos pontos precisos e observando os sinais. Depois de uma breve espera que pareceu muito longa, ele sai do barco e desmonta o painel. Achei que ele estava me enrolando, procurando problema onde não havia, mas ele enfia a mão atrás dos botões e tira de lá uma lâmpada queimada! Ele busca outra dentro da oficina, e fim!

Como era de esperar, um problema chama outro. O motor não liga mais. Limpo um reservatório de sujeira de diesel, e isso abre uma fuga na mangueira que até então estava em equilíbrio perfeito. Fecho o tanque no intuito de parar a fuga. Não posso me esquecer de abri-lo depois. Levou quase uma hora para o Dan consertar tudo. Ligamos o motor, e ele vai embora. Poucos minutos depois, o motor tem pane seca. Esqueci de reabrir a válvula. Parabéns, Tamara.

Dois caras de um barco vizinho aparecem, puxam papo e ingenuamente oferecem ajuda. Coitados! Começa, então, um longo embate para tirar o ar do motor. O Karstein dá tudo de si. Suando. Ele é dono de um desses enormes barcos de pesquisa sísmica. Cada motor dele é do tamanho da Sardinha. Meu minimotor de sete cavalos e meio não deixou barato. É questão de orgulho, ele esbraveja repetidamente. Orgulho dá muito trabalho. Conseguimos fechar as fugas e estancar os vazamentos. Duas horas depois, o ego do Karstein estava salvo.

Que alegria ouvir o som do motor de novo! Conseguimos resolver tudo antes da reunião. As coisas parecem se ajeitar outra vez!

Assim são os barcos:

– No início, parece que tudo funciona. É um sonho, a gente se pergunta como não pensou em ter um barco antes. Sentimos medo de que qualquer pequena coisinha dê errado e nos tire desse equilíbrio perfeito.

– Depois, pequenos problemas logo geram grandes problemas. Parece que nada mais funciona. A gente se frustra, corre para arrumar, pensa em desistir.

– Num terceiro momento, depois de um esforço imenso, as coisas voltam a fazer sentido. Se algo quebrar de novo, já temos pistas de como consertar. Ficamos menos assustados se algo parar de funcionar. Agora sabemos que sempre podemos aprender a resolver.

(O pessoal daqui do porto já está criando novelas para explicar meu paradeiro. Uns dizem que eu não sei ler previsão do tempo, e por isso parto todos os dias, me surpreendo com o mar e volto. Eles me recebem e oferecem ajuda, simpatizando com a frustração.)

Acostumei-me a essa paragem. Acostumei-me a acordar com frio nos pés e os gritos estridentes dos cabos batendo no mastro. Acostumei-me a esquentar água para o chá e sair de meias no convés para ver a cara do tempo. Acostumei-me a estudar as previsões comendo cereal. Acostumei-me ao cheiro de peixe da cidade, aos seus personagens, às chegadas e às partidas de novos e velhos veleiros. Acostumei-me a esse vento, sempre sudoeste e sempre forte, fazendo montarem as ondas, trazendo areia às janelas, esticando as amarras do barco e nos impedindo, mais um dia, de tocar viagem.

De noite, antes de dormir, tensiono as adriças ao máximo para que o vento não as dedilhe como a um violão. Noite adentro, elas dormem e se folgam e, na manhã seguinte, levanto com a cantoria outra vez.

Está chovendo. Mais do que em todos os outros dias. Fico feliz de me sentir protegida pela Sardinha. A chuva lava o convés de poeira do porto, areia, água salgada, sujeiras dos reparos, da canseira da espera. Ela faz a Sardinha parecer grande por dentro, um palácio onde cabe o que eu quiser, onde eu sou muitas coisas e muitas gentes, onde, no pior dos tempos, posso estar segura e confortável. Ouço gotas e tento adivinhar por onde estariam entrando. O barco hoje é bem mais seco do que já foi. A sua secura é um orgulho meu.

Meus amigos do porto, Karstein e Ronilo, me propuseram (muitas vezes) usar o barco deles de hotel. Amigos do Henrique também toparam me receber na casa deles numa cidade próxima. Disseram que vou ficar mais confortável com mais espaço. Eu agradeço a generosidade. Eles não sabem, mas aqui tem tudo o que eu poderia querer. E, mesmo que não tivesse, mesmo que o casco fosse mais fino, o teto, mais baixo, o interior, mais frio, esse espaço é meu.

Dobro os joelhos para escovar os dentes, de noite faz tanto frio que me visto com múltiplas meias e um saco de dormir dentro do outro. Só tenho uma boca de fogão e, quando faço macarrão, preciso decidir entre esquentar a massa ou o molho. Não tem chuveiro, e todas as noites vou ao banheiro perto do porto (exceto quando fica muito tarde, chove e dá muita preguiça de andar até lá encarando o frio). O barco é cheio de sons que aprendo a reconhecer,

manter e apreciar. Nem mesmo o cheiro de diesel
que sempre me deixou tão enjoada me incomoda
mais tanto, porque é _meu próprio_ barco com _meu
próprio_ cheiro de diesel.

Não há conforto maior do que o de estar sob o
próprio teto.

Bonjour?
De quando em quando me pego pensando

– se devia dar alô ou esperar
– se você sente o mesmo do outro lado
– se romper o silêncio vai curar ou machucar

(da ferida, me esqueci, mas
quando me embrenho em cantos selvagens,
quando chego a cantos onde me sinto livre e só,
vem uma mosca pousar na ferida e deixar seus
ovos nojentos e letais)

.

Venho criando coragem para muitas coisas.
Para dar passos marinhos sozinha, fazer escolhas
sem pedir opiniões,
visitar lugares dos quais não sabia nem o nome.
Falta-me coragem para ouvir sua voz de novo.
Falta-me coragem para enfrentar as lembranças
do nosso último dia.
Falta-me coragem para encarar sua fala que
tanto me feriu por dentro.
Zzzzzzzzzzz vem a mosca me rondar

.

(Novos amores encobrem os passados, mas não
curam machucados,
por isso me preparo aos pouquinhos,
por isso me faço carinhos e me digo "tudo bem"
em *looping*.
Por isso rio ao descobrir que perder o medo do
mar é mais fácil que perder o medo de amar
alguém
de novo.)
São os amores que nos movem, afinal.
E essa mosca companheira me chama para
mover-me ainda mais

.

Para isso servem as cartas
(que a gente envia para si mesma).

CASA

A previsão anuncia que o vento vai virar leste. Decido: será amanhã o dia da partida. Fiz tudo o que poderia para aprontar a Sardinha. Os fios estão arrumados, o motor funciona, a rota está traçada, o rádio foi reamarrado no lugar, a antena do AIS está bem presa, as fugas foram entupidas de silicone, os cabos das defensas estão trocados, o tanque de água está cheio, tem fruta na geladeira, as músicas estão baixadas, o estoque de diesel está completo, as baterias estão carregadas, e até minhas sobrancelhas foram devidamente apartadas.

Passei muito tempo ao telefone. Fiz um *tour* pela vida dos amigos (fazem-me tanta falta!), da família. É engraçado! Longe deles tenho a impressão de levar outra vida, que corre paralela à vida perto deles, no Brasil. Como se a Tamara que pegou o avião, de certa maneira, continuasse lá, indo aos mesmos lugares, vendo as mesmas pessoas, vivendo a mesma rotina. Como se, desde então, outra Tamara tivesse nascido no outro hemisfério do mundo.

Não é exatamente o sentimento de "metade" – como o que eu tenho com a Laura –, mas o sentimento de ser outra inteira. Da Tamara que ficou, ninguém tem notícias, ela virou invisível, ainda que permaneça lá.

Vou perdendo a noção do tempo, da distância, da minha própria ausência no lugar que ainda é minha casa. Fico pensando em como devem se sentir as marinheiras e os marinheiros que trabalham em petroleiros, cargueiros, pesqueiros e passam longos meses longe de casa. A cada retorno, os filhos têm uma nova idade, novos cortes de cabelo, novas comidas favoritas, novos tamanhos de sapatos, novos jeitos de falar, novas escolhas a fazer.

Assim que embarquei no avião para a França, esperei que a minha vida no Brasil fosse pausar e, quando eu voltasse, encontraria exatamente a vida da Tamara invisível que vai, aos poucos, se tornando a minha nos lados de cá.

Será que a Tamara do Brasil ainda cresce como a Tamara dos outros cantos? Ou será que só ela continua com a mesma idade, enquanto as outras pessoas crescem e, justamente por isso, deixam de vê-la enquanto ela ainda a vê?

Mantenho um pé aqui e outro lá, um na língua do meu peito, outro na língua dos meus planos. Dentro de mim não sei fazer de outro jeito. Escrevo textos em português, idioma da versão mais aberta, mais liberta, mais segura, mais grandiosa de mim.

Janto com o Karstein e o Ronilo no *Stormbas II*. Foi bom tê-los conhecido e ter passado com eles momentos legais (com destaque para o karaokê). Mas me deixam desconfortável quando me perguntam se não tenho medo de estar sozinha num barco destrancado num porto de pesca (como se fizessem um favor ao tentar me apresentar medos que eu não tenho, como se soubessem o que é o melhor para mim mais do que eu mesma). Perguntam se eu não tenho

THYBORØN, 14.1.2020

THURSDAY, 19.9.2020

medo de ser perseguida por um barco mal-
-intencionado em alto-mar. Onde se ancoram todos
esses pensamentos? Falas como essas, com um fundo
de boa intenção, só fazem nos trancarmos em
gavetas para estar a salvo das nossas ambições.
Acham normal que mulheres se limitem para se
proteger dos possíveis males causados por homens.
Por que imaginam eles perigos que eu não vejo? Como
se ao andar na rua devêssemos temer que objetos
caíssem do céu, que fissuras abrissem crateras no
asfalto, eventos possíveis, mas improváveis, que
poderiam nos impedir até de ter coragem de andar.
Como pode meu útero tornar-me tão mais vulnerável
aos olhos dos outros?

Os riscos existem, medo eu já tenho, esses caras não
precisam incrementá-los com cenas de perseguição
de filme.

Eu me despeço, me preparo para o último banho e o
último sono. Ligo para o Henrique, minha mãe, Laura
e, claro, minha avó. Ela pede desculpas por se
atrapalhar para aceitar a ligação, mas ela
superacerta e nos falamos por vídeo. Que vontade
de abraçá-la de verdade! Vou dormir mais tarde do
que o previsto, mas muito feliz! Mal acredito que
finalmente partirei daqui! (Foi bom, mas já deu.)

– Aliás, terminei com o Jesse (ou, mais precisamente,
"fui terminada", risos). Fere o ego um pouquinho,
mas acho que vai ser bom. Assim não me sinto mais
especialmente inclinada a parar no porto de
Ijmuiden. Que dói o orgulho, dói, viu? Superarei
escutando muito samba e forró no caminho.

TEMPESTADE

Acordo sem despertador no horário decidido: 5h20. Saio das cobertas num pulo, ponho água para ferver vestindo a jardineira e como *corn flakes* já de colete salva-vidas.

Na saída, vejo o *skipper* do veleiro que chegou ontem. O senhor holandês ainda vestia seu pijama amarelo e andava pelo *cockpit*. Ele vai mesmo puxar conversa bem agora, quando é madrugada e estou pronta para sair? Encho as últimas garrafas de água, e ele me traz cartas da costa holandesa. Fico tão feliz! Volto contente para o barco com o novo presente! Ele me ajuda a soltar as amarras. Comemoro por ir embora sem ter batido nenhuma vez no pesqueiro *Flotte-lote*, meu vizinho desde que cheguei e que tem a pintura mais bonita deste porto. Foram muitos "quases"! Passo na frente do *Stormbas II* e dou tchau como se alguém pudesse me ver e acenar de volta. No escuro, não vejo se há alguém lá, então prefiro acreditar que sim, e mantenho a saudação religiosa que eu não poderia não fazer. Algumas manchas mais escuras do tamanho de gente parecem se mover no convés. Digo para mim que são meus amigos. Jogo a lanterna e não consigo dizer se são eles ou acessórios de trabalho. Pouco importa. Eu estou feliz com o cortejo!

Neblina pela manhã. Mar de azeite. Calmaria total. O sinal de celular funciona até bem longe, e, a duas milhas da costa, eu ainda posso falar com o Henrique e atualizar as previsões. Ele insiste que à meia-noite de amanhã as condições serão ruins, e eu "só tenho que garantir que vou sobreviver, independentemente da direção em que for".

Calmaria o dia todo. A retranca bate. Navego num espelho. Samba e forró (como prometido), leio, escrevo. Ansiosa pelo vento!

Esse AIS está me deixando louca!!! Volta e meia, ele apita para dizer que perdeu o sinal. E logo depois de ser acudido ele apita de novo para dizer que achou o sinal, e que tem um perigo iminente, que, no caso, é a PRÓPRIA SARDINHA!!!

Vou anotar os horários para saber a frequência dos apitos:

Perdeu o sinal 20h9m50s
Achou o sinal 20h10m55s
Perdeu o sinal 20h14m55s
Achou 20h15m28s
Perdeu 20h16m40s
Achou 20h16m48s
Perdeu 20h17m49s
ERRO. CANSEI.

Daqui pra frente, seguiremos sem alarme. Se as velas deste barco estivessem num concurso de talentos, a vela de tempestades certamente levaria o Prêmio Revelação. Essa vela tão grande quanto um guardanapo de pano perto das irmãs é a salvadora da travessia Thyborøn–Vlieland. Há mais de vinte e quatro horas o vento tem 25-30 nós e as rajadas, 37;

ele segura firme e forte e me permite usar o piloto sem falhar muito. É uma grande aliada nos momentos em que eu estou lutando para beber água e comer, pelo menos, cuidando das funções vitais do barco e da tripulação.

Somos muitas aqui dentro. Tem a capitã, a imediata, a chefe de máquinas um pouco desastrada, a eletricista, que é inexperiente, mas esforçada. Tem uma que gosta de velejar e só isso, outra que liga o motor em calmaria, pois haja paciência. Tem a que sofre e a que cuida dela mesma sem que lhe seja solicitado. A prática e a poeta. Somos várias, e às vezes somos demais, de modo que o barco está sempre excessivamente bagunçado ou exageradamente limpo.

O vento subiu. Tento dormir e escorrego pela cama enquanto o barco sacode. Cada músculo está duro, e meu corpo, frio. Eu e meu cérebro conversamos aos berros: "RELAXA! DESCANSA, POR FAVOR!", e rolo pelos cantos, sentindo as dores do barco. Eu me concentro e penso: "Isso é um treinamento! Você está se preparando para o pior! Você precisa viver isso para estar pronta! Ainda não chegou ao limite máximo! Você aguenta bem mais que isso!". E agradeço à Sardinha por estar navegando bem, me importando com ela, e é ela que faz todo o trabalho agora. Eu escalo as paredes, ando no convés como um cachorro acuado, me agarro a tudo e qualquer coisa com medo de cair da borda. Rizo a vela grande, troco a vela de proa. Cada vez que ouço um barulho estranho, saio para conferir. Os estais baixos do mastro estão folgados. Cada vez que o barco aderna para boreste ou bombordo, um estai se folga e o outro se estica demais. Não sei como proceder. Será que aguenta? Será que é normal? De quando em quando vou para a barra tentar dar uma folga para o banco de baterias. Toda a energia é sugada pelo piloto automático. Eu vivo pelo barco, eu vivo graças ao barco, eu vivo para o barco. O pior vai passar! Nenhuma tempestade dura para sempre! Não faz sentido algum agora, mas vai ter valido a pena quando a gente sair daqui! Trinta nós uivando, mas nem precisava. As ondas nos empurram e são elas que nos fazem caminhar. Estamos com o mínimo de pano, só o necessário para manter o rumo e estabilizar o barco enquanto as ondas nos portam.

Estou exausta, dolorida, enjoada. Crio coragem para me levantar, mas me faltam forças nos braços. Eu me forço a comer, me forço a beber água, me forço a me dar chances de me recuperar. Faço de tudo para me sentir confortável com roupas quentes – que colam de sal. Não tenho mais alarme do AIS. Saio de quando em quando para procurar outros barcos, quase querendo ver sinais de outras vidas. Não vejo ninguém há mais de vinte e oito horas. O mar é só nosso e é um pesadelo estar aqui. Uma hora acaba. Recebo uma mensagem do Henrique. Amém! Ela vem com a previsão de ventos e rajadas a cada hora. Preparo as expectativas para o pior. "Tac, tac, tac" no *cockpit*. Não preciso olhar para saber que o estai cedeu. Que idiota de não ter arrumado isso antes! Rastejo como posso e atravesso a porta, me amarro bem e vou até o pé do mastro. O cabo de aço corre pelo ar, se enrosca nos outros cabos. Espero o barco girar algumas vezes até conseguir catar a ponta de metal. Essa cena poderia ser épica, não fosse tão ridícula. Estou deitada de "pijama", as ondas me encharcam, e eu seguro firme nas pecinhas, abrindo a argola da trava com a unha, o casco dando arrancadas e caindo entre as ondas. Encaixo o parafuso no esticador e aproveito o vaivém do mastro para apertar bem de cada lado. Volto para dentro. Enfio-me num buraco perto da caixa do motor. O pior é agora, o pior é agora. Recebo uma mensagem da minha mãe! Olho a mensagem repetidas vezes como se pudesse multiplicá-la, como se pudesse repetir a surpresa, repetir a alegria de saber que ela pensa em mim, que não estou sozinha, que isso aqui é só um pedacinho do mundo que vou deixar.

Vou até o convés mais vezes do que o que sinto segurança para fazer... O vento dá sinais de baixar, e sobra a ressaca das ondas, que continuam sacudindo o barco como um joão-bobo. Subir a vela grande é um inferno! As talas enroscam nos estais, nos *running backstays*, nos *lazy jacks*, em todos os fios possíveis, e o barco parece uma torre de energia. Cristais de sal no barco todo.

De manhã, as ondas começam a descobrir o sol. Ainda chacoalha muito, mas o calor faz subir o moral a bordo. Ainda estou cansada, não consigo dizer se dormi ou se só fiquei deitada fazendo força para descansar. Sigo lendo em *looping* as breves palavras da minha mãe. Crio coragem para sair. Ouço um *chuááá* e, segundos depois, o barco é lavado por dentro. Corro para secar os eletrônicos e os livros salgados. Maldita onda que entrou por trás! Pelo menos, vai melhorar o tempo, Tamara. Eu me deito, mas faz muito barulho na cozinha. A Marininha, minha mãe e a amiga Tamara falam alto. Não consigo decifrar palavra alguma, mas conversam e riem sem parar. Como chegaram aqui? Como conseguiram pegar o voo com as fronteiras fechadas? Quero agradecer a elas por estarem lavando a minha louça. Faz dias que acumulo potes e talheres. Eu ainda não tenho forças para sair do buraco e ir até a cozinha. Estudo a carta, devemos chegar hoje à tarde. Ouço um chiado no rádio. Alguém me chama! Tem outros barcos! Encontro a sala vazia, as louças sujas amontoadas.

Terra! Focas! Elas pausam na superfície, assistem ao barco com seus olhos redondos e imensos e afundam a cabeça, sumindo no mar. Muitas aves! Preciso entrar no porto a contravento. Ziguezagueio entre as boias. Faço força para prestar atenção, para não confundir as cores nem as profundidades do canal. Estou exausta. Levo bronca de um rebocador por passar muito perto. Não percebi que ele estava em movimento! Entro para avisar as outras que vemos terra. Encontro as louças sujas, uma xícara no chão. Não tem mais ninguém aqui.

Tenho sinal bem perto da costa. Em casa, já sabem que eu cheguei! Pelo tamanho da comemoração, parece que acabo de cruzar um oceano (e não um trecho de uns poucos dias!). São tão lindos os barcos na marina! Logo na entrada, dois enormes veleiros de madeira com bolinas laterais. Tenho vontade de chorar. Tão lindas essas bolinas brilhantes que parecem asas! É mesmo a Holanda!

Quero parar e dormir. A marina está muito cheia. Alguns veleiros me indicam que há vagas no fundo. Os espaços são apertados. Tenho a ideia estúpida de parar o barco de ré. O excesso de confiança subiu à cabeça e eu faço *strike* nos barcos vizinhos. Ninguém entende a manobra idiota e ruim, mas as pessoas ao redor vêm me ajudar a parar. Fico profundamente constrangida pelo vexame e dou a volta na marina para me desculpar e agradecer a cada um que assistiu ao deslize e me amparou. Lembro que preciso dormir. Mas desejo desesperadamente um banho quente.

Quero tirar o sal desses cabelos colantes, o suor do corpo, a canseira, a fadiga, o frio. Ligo para a Laura no caminho. Que felicidade! Conseguimos, Sardinha, conseguimos! Numa marina de barcos tão chiques, a Sardinha parece miúda e maltrapilha. Deixo a bandeira norueguesa em posição para compensar a discrepância no *dresscode*. A gente pode não ser chique, mas a gente está vivendo coisas que poucos barcos desta marina vivem.

Uma matéria publicada num portal de notícias sobre a viagem vai pra lista das mais lidas! De repente, recebo mensagens de diferentes jornalistas. Pedem para eu contar como começou a viagem. Não sei do que falam! Não sei o que querem! Não sei o que responder! Fico sem graça. Não sei quando começou. Quando era criança e sonhei com isso? Quando eu terminei o namoro e fiquei sem casa? Quando um seguidor da internet me chamou para visitá-lo e eu estranhamente topei? Quando eu, enfim, parti da Noruega, depois de semanas de incerteza e preparação?

Não entendo o que tem de tão extraordinário na viagem para despertar esse interesse excepcional. Pipoco em vários portos da Europa com um pequeno barco um pouco velho que comprei com dinheiro emprestado de um cara que conheci pela internet, é essa a história, Letícia? Peço desculpas, mas eu não tenho o distanciamento necessário para falar de uma travessia em curso. Aparentemente, estou vivendo uma grande epopeia, a ponto de meu pai, que nem sabia do barco, ter sido integrado na história e se ver perseguido pelos entrevistadores. É engraçado! Vou dormir tarde e feliz, um sono merecido.

Lo, você é a irmã dos sonhos

Ain mooo

e você é a irmã da realidade!
Kkk

hahahah

O q te fez pensar isso?

É q você é tudo que eu poderia
querer ter como irmã
que é minha melhor amiga e
inspiração e companheira e ainda
por cima nasceu junto comigo

rs awn

vou até printar

Vou ser mt boa em barco para nós
podermos viajar em dupla ou trio
(com mt remédio de enjoo)

CHEGAR

Dia atarefado. Preparo o barco e conserto as coisas que quebraram. Os vizinhos me ajudam com peças e ferramentas. Devo refazer os *lazy jacks*, amarrar as baterias, secar o piloto por dentro, repor as pecinhas dos anéis da vela mestra. Num impulso de querer tirar todas as preocupações da frente, vou ao mercado e, logo na saída, me sento na calçada e faço a chamada com as meninas sobre a campanha para a marca de roupa. Eles aprovaram a minha participação!!! Esse trabalho vai me ajudar a pagar o Henrique pela Sardinha!!! É um sinal de que estou numa boa direção?! Chegando ao barco, dou uma entrevista para a televisão. Para que serve? Não sei. Mas talvez plante sementes de desejo em alguém que cruzar as notícias da TV numa quarta à tarde.

O desejo. Inútil. Indevido. Perigoso. Violento. Discretamente perturba, silenciosamente transforma. Seduz. Agride. Contamina. O desejo multiplica as dores e os prazeres. Ele motiva renúncias, apostas, travessias. O desejo nos faz singular. E a pessoa que ouvir falar de uma viagem estranha de uma mulher surpresa por si mesma talvez deseje, talvez pense: Eu também posso querer, também posso fazer, posso ir.

Ponho as velas para fora. Encho os galões de água.
Partimos.

Os compromissos terrestres atrasam minha partida
para Den Haag. Deixo o porto com corrente contra.
Levo muuuuuito tempo para fazer o canal da saída.
O vento é tão forte que parece cantar. Subo só a
vela de tempestade. O piloto segura bem as forças
brutais do tempo. Logo será noite. À esquerda,
a cidade desenha um ininterrupto feixe de luzes
coloridas. À direita, pingos de luz, alguns navios.
A vela cheia, apertada. O barco chacoalha em
todos os sentidos. As ondas passam por cima do
convés. Procuro os medidores de velocidade. Todos
os instrumentos dão a mesma notícia: estamos
parados.

Vertigem. Tenho a impressão de que corremos em
uma esteira. Temos vento o bastante – até demais!
– para avançar. As luzes da cidade parecem não se
afastar. O mar corre contra nós, que avançamos sem
sair do lugar. Exausta, tenho dificuldade de entender
o contexto. Estou sonhando? Me visto direito para
examinar as bordas do barco. Podemos estar presos
numa boia de pesca, penso. Aponto a lanterna para
a água escura e não vejo nada excepcional. Não
temos pano o bastante, talvez? Mas o leme está
pesado, faz força. Não faz sentido.

Penso que podemos estar empurrando alguma coisa
com o nariz da Sardinha. Uma baleia, uma foca
morta, um objeto perdido. Vou até a proa, jogo a luz
no mar e não acho nada. Rio alto ao me dar conta
da minha ignorância. Muito prazer, correntes!

Chego a Den Haag na tarde seguinte. Os gêmeos,
amigos do Brasil, vêm me encontrar no porto! São os

primeiros visitantes da Sardinha! Estou tão feliz de ser admirada, e a Sardinha ainda mais! Logo chega a Gi, amiga de infância! Vamos jantar no restaurante onde ela trabalha. É muito gostoso (mas não consigo ocultar minha frustração de só ter macarrão no menu, porque faz um tempo que como praticamente só isso, risos). A Gi pede para mim um esquema cheio de legumes, e fico feliz!

Vou dormir na casa da Gi. Admito que é difícil para mim ficar longe da Sardinha... Mas é uma chance de passar mais tempo com essa amiga maravilhosa. No dia seguinte, tomamos café com sua mãe, Catarina, que é ótima. A Gi vem comigo até o barco, e tira fotos lindas de nós! Que bom que conseguimos estar juntas! Tenho muita sorte de ter uma amiga como ela!

Vou embora mais tarde do que o previsto, mas valeu tanto a pena!! Estava preocupadíssima com a passagem por Rotterdam, mas é supertranquila (tirando a gestão da frustração por eu ter sido completamente deixada NO VÁCUO no VHF pela central de controle portuário, o tal Maas Approach...).

O momento mais tenso é a passagem pela Antuérpia. Costear a Bélgica é como navegar num grande lamaçal, uma poça cheia de rasos e mini-
-ilhas, e a gente vai caçando uns fios d'água que quase nem deveriam estar ali no meio. Balizas por todo lado. Navios. Boias. Redes. Barcos de pesca. Se eu soubesse que seria assim, talvez tivesse dormido um pouco mais. Morro de medo de encostar num banco de areia. Consigo dormir períodos curtos de cinco a sete minutos e desvio de alguns navios. Enquanto Rotterdam é uma embocadura de cargueiros, Antuérpia é uma macarronada de linhas de separação de tráfego.

Vou me dando conta de que a viagem está acabando... Amanhã o vento inverte e eu devo deixar a Sardinha por pelo menos algumas semanas (o vento de oeste é predominante no outono), até ter uma janela favorável e eu encontrar um porto com vaga para o inverno. Não posso perder mais aulas do que eu já perdi, e este é meu semestre final. Estou indecisa entre ficar triste e feliz, e fico tudo. Vamos completar a viagem para a qual nos unimos, juntas e inteiras. Mas também vamos nos separar... Isso que é nosso dia normal vai virar memória, algo assim. Eu sei que mudei contigo, eu sei que cresci, eu sei que descobri ser capaz de mais do que eu pensava.

Fala-se francês no rádio. A manhã traz à vista as dunas de areia branca. Faço voltas para contornar os bancos de areia. Paro numa boia na frente da eclusa de Calais. O porto só abre amanhã. Fico, então, "ilhada", vendo a França sem tocá-la, fazendo a viagem perdurar umas horas. Ligo para casa. Estamos felizes. Agradeço ao Henrique por sua presença infalível e virtual. Fizemos essa viagem juntos. Vou dormir, enfim.

Não poderei ficar na marina de Calais, mas os vizinhos velejadores me indicam a marina de Dunkerque. É dificílimo convencer os caras da marina a darem vaga para uma jovem estrangeira num barco pequeno, mas me sirvo de algumas frases do manual de negociação, e eles terminam por aceitar. Passo às pressas pela eclusa, debaixo das pontes, e paro na vaga onde a Sardinha vai passar o inverno. Parto como se deixasse parte de mim, parto como se viajasse para longe sem nunca ter pisado na terra dessa cidade, como se deixasse minha casa vazia. Partir me parte em pedaços.

Em poucas horas estou no trem em direção a Lille. Que estranha a ideia de reencontrar uma antiga vida, de aulas, calendário, apartamento estudantil e outras preocupações das quais quase me esqueci. Tenho vontade de continuar na Sardinha, fazer meu estágio perto dela para morarmos juntas, nos levar para um novo país no verão. Corto esse "efeito mágico" da vida a bordo e troco de trem. Dói, como a dor que senti ao deixar os portos em dias ensolarados, onde não pude permanecer por ter de tocar viagem.

Desta vez, é como se a própria Sardinha fosse o porto que me tenta, onde sei que posso ficar um pouco mais à custa de atrasar a continuação da minha travessia. Meus estudos são uma jornada maior e mais antiga, e sei que eles também me levarão a lindos e longínquos lugares.

Me sinto diferente, e vejo meus próprios planos com outras barreiras (mais concretas e menos imaginárias). Se antes eu andava caçando oportunidades de navegar, agora eu as tenho à mão. Se antes eu pensava "um dia vou velejar em solitário", agora sei que posso! Eu faço! Sei muito menos do que eu pensava, mas tenho menos medo de não saber.

Quando estava na eclusa, me dei conta de que eu não sabia o "certo" a fazer. Analisei o contexto, pensei onde amarrar o barco e onde não, e estava feito. Eu sempre posso aprender a fazer o que não sei. Estar longe do barco só me dá mais confiança para concluir bem esses estudos, escrever o maldito livro e voltar a navegar mundo adentro.

AMAR

Quantas vezes achei que a gente ia durar para sempre. Seis meses atrás, preparamos um barco, planejamos nossa rota, atravessamos juntos a tempestade do golfo da Biscaia, navegamos ao longo da costa portuguesa, nos revezamos no leme, cuidamos um do outro, ancoramos em ilhas selvagens em dias de neblina e de sol. Chegamos juntos. Eu cheguei pela metade.

Dentro de mim, crescia em silêncio a sensação de que enquanto éramos dois eu me deixava apagar aos poucos. Era tão confortável estar junto, era tão gostoso dividir os sonhos, a casa, os medos, os segredos. Fui deixando de lado meus planos individuais. Silenciei meus quereres solitários e tão meus. Ser sozinha tornou-se tão sofrido que eu mudava de calçada para evitar cruzar
comigo
e dar-me conta
de que estando junto eu me deixava
só.

Concluímos nossa travessia, e tomei a decisão de ir atrás do meu espaço, de dar um passo à frente dando um passo atrás. O Guillaume achou minha busca por independência um baita desaforo e, sem pensar muito, me disse: "Se você quer morar sozinha, por que não vai embora agora?".

Pus na mochila os itens de sobrevivência. Choros de raiva, de dor, choros de amor. Eu tinha nas costas
um pijama,
uma muda de roupas,
dois bichos de pelúcia e
uma caixa de *corn flakes*.

Saí em busca de um sofá disponível na casa de algum amigo brasileiro. Eu precisava de um abraço em português. A amizade é desvendadora de espaços. Fiquei na casa do Leo e, dias depois, me instalei no quarto livre da casa do Ricardo e da Tereza. Foram semanas de susto, de falta, de vaivém. Semanas de achar acolhimento onde eu não esperava. Semanas de acordar no escuro e pensar se eu não errei.

E de olhar no espelho e me dizer que a dor também é mãe do crescimento.

Tempestades dentro do peito. Eu estava na reta final da minha monografia na faculdade. Meu voo para o Brasil foi cancelado por conta das fronteiras fechadas. Recebo a dura notícia de que uma amiga faleceu de covid-19. Respostas negativas em todas as buscas por estágio. Tensão. Saudade. Incerteza sobre esse futuro tão presente.

Certas vezes, parece que sumiu o chão do salão onde todos os planos distantes marcaram encontro. Eu fico torcendo para alguns planos terem faltado na reunião, preservados, protegidos pelo esquecimento em um lugar de piso estável.

Procuro um lugar aonde ir, um rumo para avançar. Faço a promessa de me dar os meios de voltar ao mar. De algum jeito, eu preciso começar a navegar em solitário.

Eu me esforço para sair do casulo, pôr o pé na rua, encontrar amigos antigos e potenciais. Lembro-me de um *e-mail* enviado por um desconhecido no início da pandemia. Um professor brasileiro que assistiu ao meu canal do YouTube me convidava para encontrá-lo na Noruega e pegar seu barco emprestado. Na época, a ocasião me pareceu improvável, o convite soou suspeito.

O contexto da leitura muda o sentido das palavras lidas. Eu lhe escrevo:

> Olá, Henrique!
> Tenho pensado muito na sua superproposta!
> Seu convite estaria de pé para esse verão?
>
> Grande abraço!
> Tamara.

Oi, Tamara,

O convite não expira! :D
Me avisa as datas e o que você tem em mente – eu vou viajar com a família lá pelo dia 20, mas qq coisa deixo a chave aqui pra ti.

Abraço
Henrique

E assim chegamos ao princípio deste diário.

Parece que faz mil anos que o deixei, não uns poucos meses de verão. Nesse caminho, devo ter deixado também o pedaço de mim que achava que sem ele eu não iria longe assim. O outono bate à porta. Não vejo a hora de achar um novo lar para esse coração sedento de mar aberto.

TEMPO

Trem, carro, bicicleta, avião, meus próprios pés me levam a atravessar espaços, a curtir distâncias, a encontrar e perder a noção do tempo, da saudade, do pertencimento. Fiquei tentando imaginar como seria voltar pra casa. Como seria rever minhas irmãs, meus pais e minha avó depois de ter descoberto que eu poderia partir sem eles.

Virei a chave com cuidado para entrar na casa de sempre. Pisei na sala onde passei a infância e a adolescência mergulhada em livros de mar, onde fiz e refiz rotas imaginárias, promessas para mim mesma de um dia ser capaz de navegar.

Minha família estava reunida no terraço, conversando ao redor do fogo, e foi surpreendida pela minha aparição.

Minha avó se emocionou ao me ver. Mas acho que a emoção foi um pouco excessiva. Ela pensou que estava vendo um fantasma, e precisamos acudi-la quando ela ameaçou desmaiar.

Minha mãe me abraçou forte, depois disse que eu precisava levar minhas coisas para o quarto para não deixar na sala a minha bagunça característica.

A Loira e a Nina tinham um sorriso imenso. Disseram que eu seria a irmã famosa. Enfim, elas deixaram de me criticar por ser a única que não "trabalha de verdade" (no fundo, admito que eu mesma tenho dificuldade em definir o que faço).

Meu pai fez carinho na minha cabeça como ele faria no Rufus ou na Zaza (nossos cachorros). Deu parabéns pela viagem e perguntou onde estava o barco. Foi a primeira das seis vezes que ele fez a mesma pergunta, porque ele sempre esquecia que já tinha perguntado, ou porque em nenhuma das vezes ele prestou atenção à resposta.

Algumas horas depois, minha chegada já não é motivo de especial interesse. Outras questões são mais fundamentais: aonde você está indo, Tamara? Não volta depois da meia-noite. Arruma a mesa da sala antes de ir. Essa roupa está horrível! Recolhe os seus papéis espalhados no sofá. Larga esse livro e lava a louça. Você não vai sair assim, né? Atende à campainha. Com quem você está falando? Sua avó está decepcionada porque você não atendeu à ligação dela. QUEM DESLIGOU O WI-FI? Moreeeenaaaa! Devolve meu carreeeegadooooor!!!!

Que maravilha indescritível é o convívio familiar.

Nos primeiros dias, nos estranhamos. Nos seguintes, nos acostumamos ao estranhamento. Começo a ver distâncias na minha família que não via anos atrás. Minhas irmãs passam a semana trabalhando em seus quartos e mal param para almoçar.

Minha mãe dedica vinte e cinco horas por dia a retornar as ligações a que meu pai não atendeu, ler os contratos que meu pai assinou sem ler, levar minha avó aos lugares, comprar a ração dos cachorros, organizar o almoço, trabalhar na sua pesquisa genealógica interminável, ligar para os amigos do meu pai e seus restaurantes preferidos quando, chegada a noite, papai ainda não voltou para casa. Eu mal consigo vê-la. Acho que ela também não.

Durmo cedo e acordo antes do nascer do sol para escrever no silêncio. Tomo café da manhã duas vezes só para estar à mesa com meu pai. Ele lê jornal e faz sua habitual "palestra" matutina, discursando sobre um tema específico (a constar: o desenvolvimento de biocombustíveis no Brasil, sua viagem de planador nos anos 1980, os fatos secretos que só ele sabe sobre a vida de Santos Dumont). Por aproximadamente duas horas, escuto sem abrir a boca, imaginando se em algum momento ele ia me fazer uma pergunta ou querer saber o que eu pensava a respeito. Eu me concentro ao máximo para manter a atenção e estar pronta para dar uma contribuição inteligente, caso eu tenha a chance de participar da conversa. A xícara de chá vai descendo aos poucos pelo meu interior, e eu cruzo bem as pernas contendo a vontade de fazer xixi. Tenho medo de deixar a mesa e meu pai ficar sem público e ir embora. Em algum momento, ele fecha o jornal, bate os dois pés com força no chão e levanta-se subitamente, dizendo: "Vou para o escritório. Bom dia, Morena".

Tenho a impressão de sentir saudades da minha família mesmo estando ao lado deles todos.

Talvez a distância física nos aproximasse, no fim das contas.

Precisei estar longe para descobrir quanto do meu
sonho era meu e quanto dele era dos meus pais.
Eu precisei estar longe para me conhecer sem eles.
Longe, eu conversei com minha voz nos cafés da
manhã, fui dona do meu corpo, pude vesti-lo e
visitá-lo como eu quis, pude errar sem vergonha
e sem pressão, pude me isolar do medo protetor
materno, que tantas vezes aumentou os perigos e
conteve os meus quereres. Longe, pude experimentar
ser maior do que eu pensava. Longe, entendi melhor
de onde vim e pude desejar voltar.

Uma mulher precisa viajar. Para descobrir por si
mesma aonde é capaz de chegar.

PAI

Arrogante, estúpida, folgada. Vai fazer sua vida, filha. Você fica mergulhada nesse livro em vez de ajudar sua mãe a fazer o almoço. Você não merece o que eu te dei. Você está se aproveitando do meu nome. Você está escrevendo antes de ter feito algo. Você não fez nada.

Eu tinha esquecido a maneira original do meu pai de demonstrar carinho nos almoços de domingo.

Respirei fundo e agradeci. É parte do meu treinamento, disse a mim mesma, em silêncio.

Meu pai foi meu primeiro parceiro. Aquele que me forneceu as bases necessárias para sonhar meus sonhos de hoje. Aquele que me mostrou que navegar em solitário era fascinante, possível e ordinário. Ele foi o homem que mais me inspirou, o primeiro que me amou, o que mais me fez crescer.

Ele é também o homem que me disse as coisas mais duras, as ofensas mais devastadoras, as lições mais dolorosas de engolir:

– Eu não quero saber do seu projeto.

– Primeiro, faz. Só me liga para contar quando já tiver feito.

– Não pergunta o que acho. Se perguntar, eu vou dizer que não vai dar certo.

– Ou você tem humildade ou o barco afunda.

– Eu não vou te dar conselho nenhum. Abre o livro, o computador, e procura.

Precisei estar a nove mil quilômetros de casa para entender a maneira autêntica do meu pai de demonstrar afeto, a sua maneira assustadora de me ajudar.

Aprendi a não depender de seu conselho, sua aprovação, sua opinião. A não contar com seu contato, seu saber, seus objetos.

Aprendi a ser eu mesma, a ser mulher, a não esperar de um homem as respostas para as minhas perguntas crescentes.

Eu tinha raiva, eu tinha fome de aprender, eu andei caçando mestras e mestres em pontões longínquos, saberes em muitas línguas, barcos, chances de pôr-me à prova. Sem saber, sem dar notícia, andei construindo minha própria estrutura. Flutuante.

Adolescente, acostumei-me à ocasional frieza do meu pai, e comecei a ter coragem de me defender, mesmo encharcada em lágrimas. Fui ganhando força para sair de cena e deixá-lo falando sozinho nos momentos de tensão, para entender que o problema não estava em mim, para deixar passarem os xingamentos como nuvens no céu. Não valia a pena discutir com as falésias que cruzaria pela vida.

As negativas do meu pai deixavam claro que eu precisaria ir atrás dos meus próprios recursos. Suas falas de menosprezo tiravam o peso da expectativa. Seu descaso servia de anuência para eu arriscar. O sonho é meu. O desprezo do meu pai é sinal de que eu tenho margem para sonhar maior.

As falas dele me motivaram a partir do ninho.

Ao chegar à França, as memórias duras me davam segurança. Já lidei com pessoas mais difíceis.
Já estive muito mais longe, muito mais só. E as memórias felizes me proporcionavam autoconfiança.
Não entendem o que eu digo, não sabem quem eu sou, mas eu sei que a minha história é bonita e tem valor. E ela está escrita neste diário.

Entendi que, para navegar com segurança, não bastaria ter um barco pronto. Não bastaria fazer o melhor curso, ter o melhor professor. Não bastaria ter bons equipamentos, ter tanto dinheiro quanto necessário. Era preciso viver o processo

do projeto,
do risco,
da busca,
da escolha,
da falta,
da conquista,
da perda,
da descoberta,
do erro,
da frustração,
da dor,

e aprender a me refazer antes de o vento aumentar, antes da próxima manobra, antes de não dar mais.

"Tornar-se pronta" seria um processo individual e infinito. Em algum momento, eu teria que ir.

Quando precisei de coragem para soltar as amarras e embarcar nos meus planos, passei a ver as falas do meu pai como demonstrações de confiança, de estímulo, de consideração. Se ele não se preocupa, é porque acredita que eu dou conta.

No meio do azul, longe da terra, objetos atirados pelo barco e peças quebradas. Eu pensava: só posso contar comigo neste instante. O mais difícil eu consegui. Eu me trouxe aqui. Eu vou me tirar daqui.

O mar me lembra o meu pai.
As ondas não ligarão no meu aniversário,
não me darão as respostas que elas têm guardadas,
não me emprestarão seus barcos,
se mostrarão indiferentes à minha chegada,
vão me fazer desabar quando eu achar que consegui.

Vou aprender a festejar comigo mesma os dias notáveis,
a criar novos caminhos de pensamento,
a conquistar meus meios,
a me manter atenta mesmo depois de chegar,
a achar forças para seguir em frente depois das capotadas sem fim.

Talvez sem querer, meu pai me preparou para ir longe e, em solitário, chegar inteira.

Talvez sem querer, meu pai me deu ainda mais coragem para escrever este livro. Até. O. Fim.

E desconfio que, dia desses, quando fechar o jornal, bater os pés no chão e for pro escritório, ele levará este livro escondido na mochila.

DEPOIS DE AMANHÃ

A luz azul do computador e a voz das outras
mulheres me mantêm acordada à uma da manhã.
Contando com a editora, somos quatro nessa
videochamada que atravessa o planeta. Digo adeus
a toda uma fase. De ensaios, de rascunhos, de
provas, de tentativas, de imaginar como seria ser
adulta. De planejar minha primeira travessia. De
querer escrever um livro sem saber como começar.

O diário da viagem acumula poeira, empilho os papéis
soltos com testes de ilustrações, bonecos simulam a
futura casa do texto, seu corpo, sua fisionomia.

– Manda pra mim o arquivo definitivo, Tamara.

As palavras escritas não me pertencem mais.

Espremo o suco do final com dificuldade. Tenho a
impressão de não ter descrito os momentos bem o
suficiente, de faltarem assuntos, de certos
pensamentos não estarem maduros ainda.

E o fim...

o fim sempre parece um pouco glorioso,
o fim tem certa pressão,
e essa tensão diante da última página de palavras
por plantar.

Não vou concluir, digo a elas. Bato na mesa para dizer que diários não se concluem, eles acabam, somente.

Um diário termina jamais e todo dia. Um diário acaba quando o escrevedor para de escrever. Ou quando não há mais espaço no caderno. Quando não há mais tempo para continuar. Quando é preciso começar um novo ciclo em outro lugar.

Mas este é um livro, Tamara, tem que ter um fim. Não pode acabar assim num tranco.

O fim
é o gesto de despedida (lembrado como *flashes* na hora de dormir, ou nos minutos reflexivos diante do relógio do micro-ondas).

É o cheiro que sobra do encontro (grudado na camisa, no cabelo). É o retrogosto
da taça,
do beijo,
do remédio,
da torta de maçã
(às vezes, se evita escovar os dentes para não o perder de vista).
É a última chance (de deixar um rastro eterno, de ser notável, de inserir aquela frase de efeito para servir de citação).

O fim,
quando chega,
puxa a cadeira para um começo.

E na minha cadeira estão a jardineira impermeável, a capa corta-vento, o diário em branco para a próxima viagem.

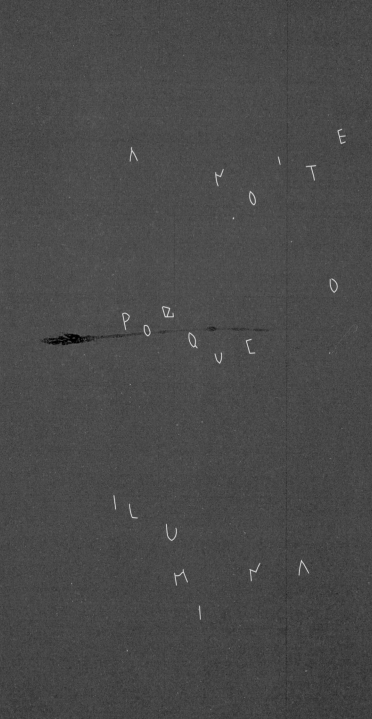

No MARÉ É BONITA

E S C RO
U TOTAL

A IMAGINACAO

CANAL DA MANCHA

de novo

no lugar que eu amo

no lugar nenhum

nos cantos que são certezas
temporárias

buscando pontos-finais

que

antes de serem finais são pontos
de partida

de novo

AMSTERDAM

Pontes sobre corpos d'água que se esticam que se alastram sob os corpos das pessoas as bicicletas as lojinhas de maconha que parecem bancas de bijuteria francês inglês holandês povoam os ares visitei meias conversas e desvio para o chá de gengibre e mel testei uma lentezinha que era pra ser 360 mas visivelmente era propaganda enganosa. Já são 23h10 e espero pacientemente o ônibus que custa a chegar.

AMSTERDAM, 22.7.2020

ENTRE AMSTERDAM E THYBORØN

Aula de geografia: quarta série.

Estudaremos cartas e nações.

Todos chegarão com latas de
lindos lápis de cor

para pintar o planeta.

Nossas mais bonitas cores

irão para os países que amamos
mais.

Azuis, no entanto,

deixaremos de lado.

Como se a cor preferida de todos

fosse preciosa demais

para pertencer a alguém que não

o oceano.

ENTRE VOLDA E ÅLESUND: BUSCAR O BARCO

Parecia natural e estranho.

Eu nunca tinha estado em um barco assim
tão sozinha.

Mas já tinha me cansado de ensaiar esse
momento no palco dos pensamentos, nos
cavucamentos de livros, nas listas nos
cantos dos diários, nas promessas secretas
que fiz para mim.

É, Tamara, acho que daqui não tem mais
volta, disse a mim mesma e temi por alguns
instantes

que do nada viessem à tona medos que não
me ocorreram nesses anos todos: o barco
foi suspenso, a grua o pendia como se fosse
uma pedra preciosa, a água do mar cedeu

lugar pro seu

calado

o barco me disse tantas coisas

indizíveis

sobre criar coragem

sobre tomar o leme da minha própria vida

sobre dar passos pequenos sonhando a exosfera

sobre acreditar que com essas mãozinhas e esses
pensamentos

podemos ir pra lá de onde vão as aves do céu

podemos seguir os trinta-réis do ártico

e levar nossos corações pelágicos

por todas as curvas do planeta.

.

.

.

Foi uma noite longa, mas não dormi um segundo

tinha balsas, tinha pedras, tinha pepinos que não
davam trégua

tinha também uma vontade imensa de abraçar

a Tamara de doze anos que queria costurar sozinha

o seu caminho na trama do oceano.

.

Não há nada mais sensato do que acreditar nos
nossos sonhos.

Não há nada mais útil do que segui-los a fundo.

VOLTA-ALEGRE, 17.8.2020

ÅLESUND

Há dias contenho minha vontade de te
pôr a par

mas minhas chegadas e folias

dos amores das despedidas

das andanças de menina que cresceu.

.

Eu me esforço pra manter em segredo

passos que disparam dos meus pés.

.

Tenho disfarçado evidências

há mais coragem de encarar o mar

que de enfrentar

sua voz

dizendo

não

vá

não

faça

não

esquece que eu sou sua mãe.

.

Penso então nas renúncias que viveu por mim

Nas entregas por completa

Nos milagres cotidianos

Era seu plano sermos libertas:

Nos fez viajar por nós pra podermos ir e voltar

Nos ensinou a sermos nós mesmas em qualquer
lugar.

.

E agora

uso cada entrega sua e

parto

sozinha

longe de você

não dou notícias

não dou sinal

não digo as verdades por inteiro

não prometo voltar

evito como posso

deixar passar

que o mundo para quem você me deu

também pode me levar embora.

Eu sem o mundo não serei

a sua cria

debaixo da sua asa, não cabem minhas novas alegrias

mas, sem você, mãe, eu não seria.

Alesund, 16.8.2020

VOLDA

Te ter foi a primeira lição de coragem.

.

Me enfiei em você e vasculhei seus
buracos

imaginando suas vidas passadas e as
outras travessias que te trouxeram

pra mim.

.

Na primeira noite eu dormi em você

imaginando nós dois

sozinhos

em alto-mar

tateando insegura

e faminta

suas dobras e ossaturas

cicatrizes e vazamentos

suas alturas.

Acordei e parti

com seu cheiro grudado no meu.

.

Quando voltei

foi pra tirar seus pés da terra

pra te fazer voar

pra começar uma história sem voltas

cheia de partidas.

.

Os médicos e as garras de metal
suspendendo sua casca de ovo me
assustaram.

(Corri protegendo seus nervos e pensei
que eles não te amam como eu!)

.

Como pode a gente se apegar em um
ou dois suspiros?

A água do mar abraçou suas pernas,
seu fundo (flutua!) podemos enfim
correr juntos pela pele do mundo.

VOLTA, 21.8.2020

CRESCERCRESCER P A E T I R

FLORØ I

Pego-me em prantos

um vazio

nos pés

um ardor

latente

uma saudade de lugar

eterno

presente

(que eu não vou deixar daqui sete ou
oito horas)

ando saltando entre portos e peitos

ando deixando meu rastro pra trás

feito jabuti eu me carrego dentro

da casca apertada transbordam meus
membros

por todos os espaços

e os tempos

até minha casca não me conter mais.

.

Eu levo comigo um país

lotado de vozes ativas

me falam pra ir e ficar

nas ruas brilhantes da vida

me fazem chorar de saudade

me fazem cantar de alegria

me lembram das gentes que eu fui

antes de cada partida

mas não me adentram

mas não me complementam

menina, me faltam abraços

menina, me falta calor

de uma amiga.

.

Avanço

e cada falta fortalece

o navegar.

.

(Hoje consegui dormir em navegação pela primeira vez !!!! Foi duro, eu só podia dormir cinco ou quinze minutos, e era difícil pegar no sono com um milhão de preocupações e medos... E eu achava que poderia ter pedras súbitas no meio dos fiordes! Mas conseguimos!!!

Estamos melhorando nisso (com certo sofrimento, naturalmente)! Não contar com ninguém a bordo é um constante exercício de autoconfiança e crença nas nossas análises e decisões, porque, se eu não vir uma pedra na carta, eu afundo. E, ai, ai, eu achei que estava ficando maluca de saudade de conversar (me atende @laura_klink!!! Amanhã tem mais!).

FLORØ, 27.8.2020

FLORØ II

Há portos que deixam saudade antes
da partida

deixam memórias de uma vida não
vivida

fazem a gente hesitar entre sair ou ficar
mais um pouquinho

porque parece tão certo

parar por ali e comer as frutas do pé,
tomar banho de água de geleira, dormir
sem medo de pedras, das encostas, dos
navios.

(Tem gente que já faz falta antes de
nos preencher.)

Hoje fica pra trás mais um porto onde
eu gostaria de ter passado muito mais
que as poucas horas de uma escala.

(Mas tem uma voz aqui dentro que me
diz: vai, vai, vai! Pousar é tentador, mas
seu voo está traçado!)

BØKER

A gente sonha com cada porto como se
fosse a nossa casa antes de ser.

Logo ele virá, logo nos vêm raízes

às vezes vem vontade de ficar (só mais
um pouquinho).

Partir de um porto pode ser

um parto

no peito já aberto

já apartado – um furacão!

Deixá-lo requer coragem (a gente sabe
que são poucas as chances de voltar) –
mais do que a coragem pra chegar ao
seguinte.

O cais e a casa vão se amiudando e a
gente vai se dando conta da renúncia.

Ai, que saudade já sinto dos portos que
me partiram!

O tracejadinho dos caminhos que
fizemos na carta é um colar de pedras
preciosas – das plantas plantadas
condenadas a ser selvagens.

FARSUND

Chegou aos 23 achando que todos os dias de sol seriam seguidos por dias de sol. E todos os dias de vento forte seriam seguidos por tempestades infinitas. As previsões meteorológicas, tomava-as como oráculo (e não meras previsões que eram). Por isso a afligia tanto a espera de tempo bom – parecia uma resposta negativa que o correio custava a entregar.

Ao ver a mancha vermelha se alastrar pelas semanas, sofria. Quase se deixava vencer pela previsão antes mesmo de ter saído e visto de fato.

A espera é um momento delicado. Afloram-se as angústias, os anseios, de maneira que chamam as abelhas para tomá-las e espalhar essas plantas venenosas pelos jardins.

Precisei, eu mesma, intervir na cabeça da nossa personagem e lembrá-la de que passa. O tempo do céu, como o tempo da terra, passa. E salva-se quem torna o tempo de espera no tempo esperado.

Afinal, quando na vida teremos de novo tanto tempo sobrando?

MAR DO NORTE I

Diziam que ela estava sempre a seguir os passos de alguém. Ora do pai (de quem aprendeu a gostar de muitas coisas), ora da mãe (de quem puxou o jeito de falar, de sorrir, de ser, no geral). Disseram tanto que seguia passos que ela pensou não poder abrir certos caminhos (quando não havia pegadas a seguir).

.

.

Andou, andou, pisando com firmeza sempre de cabeça baixa, sempre com sapatos grandes ou pequenos demais para não deformar os contornos das pegadas.

.

Parou quando doeram demais os calcanhares.
E olhou ao redor, dessa vez, meio sem vontade, pois os passos existentes levavam para perto dos passadores e para longe dos lugares aonde bem gostaria de chegar.

.

Anos, diários lotados com anotações que caíam das bordas (não tinha a certeza da mãe), brigas e conciliações com o espelho (não tinha a forma do pai, mas outra), sessões de terapia cheias de desenhos e pontos luminosos que ligavam os hemisférios do cérebro e dos seus mundos internos. E se pisasse na terra fofa?

.

Seguir os passos de alguém é ignorar os novos contextos, é renunciar nossa capacidade explorativa, tentar caber onde não dá. É manter o olhar em alguém e perder-se de vista enquanto isso. É contar com a inércia dos tempos, é torcer contra a evolução, é não partir nem ficar.

.

.

Fez as pazes com seus pés e pernas, vestiu sapatos do seu tamanho, ergueu a vista e não tinha por que seguir pegadas. Havia outras rotas a tecer e assim andava, andava. Dessa vez, sabia que podia gerar milhares de novos caminhos – e dando novos destinos aos pés despertos (dos pais, inclusive).

ME FALTAM PALAVRAS
PARA EU SENTIR
O QUE EU SINTO

MAR DO NORTE II

Um barco é como um cavalo

com fome de espaço

com sede de carinho

com vontade própria inclusive de sair
correndo e escapar das nossas pernas,
dos nossos planos, nos capotar e voltar.

Alio as minhas vontades às decisões do
barco.

.

Entendo o que diz meu pai sobre

sentir a dor das coisas.

(Anteontem, levei meu cavalo pras
altas ondas e ele se machucou. Agora
sou metade de cavaleira, tentando ser
médica, mecânica, eletricista, tentando
ser tudo o que pode fazê-lo galopar de
novo para chegarmos juntos aos
lugares todos.) A gente estreita nossas
intimidades.

Logo seus nervos estarão embutidos
nos meus.

E, quando ele estremecer, já saberei o
que lhe falta, e todas as suas ausências
serão motores do nosso crescimento
oceânico.

MAR DO NORTE, 8.1.2020

THYBORØN I

Quão longe fui e voltei
na autoestrada
do seu silêncio.

.

Acordo e pego a previsão

torcendo contra

espero as ondas cederem

os ventos me darem as costas

mas o mar é vasto e os ventos são doces
demais

(isso foi uma semana atrás).

.

Das nossas conversas eu só guardo o que
eu quero ouvir

faço de conta que não machucam

a despedida abrupta

a falta de interesse no que sai daqui

me conto mil mentiras mil enganos

pra abrigar em você o amor que sobra
em mim.

.

Me acostumo à frustração de renunciar
aos planos

de desmarcar encontros

de esperar

continuamente

esperar

engolir minha língua

podar meus ramos imperialistas (de
pouquinho se entrelaçam aos portões,
se embrenham

nos seus braços, dão nós e só vão
desgrudar se cortados).

.

Tento lembrar onde deixei a tesoura.

.

.

.

The message I erased yesterday night:

[

How far did I go and come back

all along

the highway

of your silence

]

THYBORØN II

Marinheiros dos barcos vizinhos vêm saber:
"sozinha?".

Perguntam se não falta espaço, se não falta pé-
-direito para ficar de pé, se não falta companhia
para revezar as vigias, se não falta medo do mal que
fazem os homens solitários e carentes em alto-mar.

"Nos bastamos."

Convidam-me para jantar, para me abrigar nos
barcos maiores e mais confortáveis, para fazer
passeios, para visitar seus barcos por dentro.

.

É verdade que preciso me curvar para escovar os
dentes, saio no vento chuvoso para tomar banho
em terra, cubro meus pés com muitas meias para
não despertar de frio, acordo com o canto das
adriças que se afrouxam de noite, ando caçando
goteiras com silicone nos dias de chuva.

.

Mas, por menor que fosse, por mais exposto, por mais nu, eu não deixaria este por nenhum outro lugar.

.

Nenhum conforto se compara ao de estar a sós sob o próprio teto (ou *cockpit*).

Poderia ser uma tenda de acampamento, exposta ao vento ingrato das bandas de cá; ainda assim, seria o meu lugar seguro.

.

Tantos são os perigos que a gente ouve quando é mulher. O mundo faz chover razões para voltarmos para semente, guardarmos as folhas crescentes, para temer brotar, florescer, semear, e então mudar do vaso para a terra infinda.

.

Toda lua que nasce é companhia. Serve para celebrar que nunca estivemos e jamais estaremos sós. Mesmo de noite, mesmo no meio do mar. A lua (escondida ou exuberante) acompanha as horas em que a gente deixa de ver longe para ver de perto, deixa de ver fora para se voltar para dentro.

.

Essa espera imprevista (e, certas horas, interminável) me fez encarar a espera com carinho, me deu tempo de perceber que o sonho que eu tinha no fundo da cabeça está na palma das minhas mãos, que as ondas que temi são passageiras, que não há aprendizados que eu não possa conquistar (que os obstáculos que nos paralisam e nos fazem chorar de pavor podem ser menores do que a gente pensa).

.

Sigo esperando e multiplicando o tempo que a vida (e a meteorologia) me deu de mãos abertas.

.

"Sozinha?"

Eles não sabem. Quando a gente se entrega inteira, quando a gente cuida de cada ponto e cada nó, a gente nunca está só. Vem conosco uma manada afoita e latente uivando para seguirmos sempre em frente.

THYBORØN III

Portos têm cara de gente.

Há portos que sorriem pra quem vem,

portos fechados aos recém-chegados,

portos que nos medem por nossos enfeites,

portos que dizem Abre a geladeira, Não repara a
bagunça, Não precisa ir embora na chuva.

.

Vivemos neste porto momentos improváveis.

Fiz amizades com outros solitários (e trocamos
técnicas de *self-steering* sem piloto que aprendi há
poucos dias)

Ganhei peixe do aquário pro jantar (até hoje me
pergunto se era o peixe das focas ou um nemo da
vitrine).

Consegui internet com os pescadores, e a Sardinha
virou uma central de *calls* internacionais e palestras
para crianças excessivamente interessadas (disfarcei

como pude os cabos elétricos ainda espalhados, o som de motor no fundo, as interrupções repentinas quando barcos iam ou vinham).

Confraternizamos com moradores locais (com destaque para a noite de karaokê no *Stormbas II*)

Navegamos a tempestade (depois de uma crise de medo em que até liguei para o meu pai para pedir conselho e ele respondeu uma frase curta que me fez pensar UAU. TENHO O MELHOR PAI DO PLANETA).

Comecei a imaginar morar no Brasil (afinal, é estratégico estar mais perto dos mares do sul e COMO ELES SE ATREVEM a chamar de "verão" esse tempo maldito com quinze dias seguidos de vento glacial?).

Percebi que, pipocando de porto em porto, a gente não cria novas raízes (a nossa casa é aquela onde estão nossos amigos, nossa família, onde a gente pode ser a gente antes de ser a navegadora que a gente está virando).

.

Não passa um dia sem que eu pense em estar perto da Lô, em saber da Ni mais do que o pouco que escapa por telefone, em abraçar minha avó, em participar dos projetos destemidos da minha mãe, em lembrar como eram os cafés da manhã com meu pai – antes de entrarmos em uma disputa ideológica salva pelas piadas da Laura e pelo café especial que minha mãe liberava do esconderijo de cafés especiais.

.

Aqui, um mês atrás, nasceu a ideia desta viagem.

E entre esse dia e hoje eu sinto que não mudei. Mas muitas das dúvidas que eu tinha sobre mim foram vencidas.

.

A gente precisa ser a gente sempre, para poder se levar para os portos aos quais nosso corpo vai chegar por nós.

VLIELAND

Quem abrisse meu diário de Thyborøn a Vlieland encontraria:

[6h22]
Duas semanas de espera e, ENFIM, PARTIMOS! Tchau aos amigos do porto! Meu vizinho me deu cartas náuticas da Holanda. Feliz!

[6h50]
Neblina espessa. Não vejo mais que alguns metros à frente. De vez em quando raspo numa boia de pesca. Medo do invisível.

[8h]
Calmaria total. Ainda não desligo o motor. Fundo raso.

[10h20]
Mar de azeite.

[14h37]
Sol, silêncio e solidão. Chamo o Chico, Elis e um pessoal da *playlist* da Laura.

García Márquez no sol. A vida no mar não parece tão ruim.

[20h41]

Desisto do alarme do AIS. Falhas a cada minuto e meio. INSUPORTÁVEL.

Seguiremos sem.

[3h14]

Rajadas fortes!!! Piloto falhando.

[3h40]

Desce genoa, sobe *storm jib*. Mar mexido. Escorrego no convés. Que susto. Desce.

Mestra. Piloto estável.

[8h23]

ONDAS CRESCENDO. Lavam tudo! Impossível dormir. Ligo o motor pra carregar baterias.

[10h35]

Henrique me manda a previsão. OBRIGADA!!!!

[12h40]

Exausta, fraca, faminta, enjoada. Ando como cachorro dentro e fora para não cair. Me forço a comer e beber água. Saio a cada quinze minutos. Caio da cama constantemente.

[14h15]

Recebo mensagem da minha mãe!!! *Boost* de ânimo.

[17h19]

Nova previsão do Henrique. Vai piorar.

[18h]

O pior é agora (37 nós). Piloto segurando bem. Ondas grandes de lado. Derivando muito. Não vejo outro barco há 28 horas. Me enfio num buraco pra dormir. Estais parecem folgados demais.

[20h20]
Estai interno de bombordo ESCAPOU! Apertei de volta. Bastante. Medo de cair no mar. Rastejando. (Onda de 4,5 metros.)

[6h30]
Exausta. Onda entra no barco. Eletrônicos salgados. Vento acalmando.

[8h40]
Sol. Ainda não dormi. Dor no pescoço. Tensão.

[10h20]
Mar e vento acalmando. Sobe mestra.

[14h36]
TERRA! Outros veleiros! FOCAS!!!! Trinta-réis!!

[17h40]
Vento contra pra entrar no porto. Outros veleiros! FELIZ! Em casa já sabem que cheguei.

[19h40]
Barcos lindos em Vlieland. É mesmo a Holanda!

[19h55]
Strike na manobra. Mil desculpas. Holandeses simpáticos.

[20h20]
BANHO!!!

[21h25]

Quero dormir. Jornalistas. Como se eu fosse famosa. Pedem pra contar sobre a viagem.

Não sei o que querem que eu conte.

[0h45]
Como eu amo a Laura!

[0h55]
SARDINHA, NÓS CONSEGUIMOS!

TUDO E SE TUDO SERVISSE PRA NADA E SE NADA SERVISSE PRA

ANTUÉRPIA

Eu tinha esquecido, mas a França é o destino que buscamos juntas.

.

Nesta manhã, cruzamos o maior porto da Europa. (Lembra como a gente tinha medo dali?! De não poder desviar dos navios, de esquecer o que falar no rádio, de ter que atravessar contra a corrente... E hoje foi tão fácil!!!)

.

Estamos agora cercadas de noite. Aqui em Antuérpia tem tantos navios que a vista do mar parece uma cidade inteira acesa.

.

Passamos as linhas de tráfego

jantamos folhas verdes e roxas de alface

te deixo uns minutinhos tocando viagem sozinha.

.

Deitada, faço força pra dormir.

Os pensamentos chegam a mim como enxurradas.

Abro as barragens para cada um e deixo correr:

passam pessoas

datas e papéis a preencher

passam notícias

mensagens não respondidas

e nessas passagens me dou conta de que a gente está chegando

e

quando

acabar

a gente

vai

fazer

o quê?

.

Como comemorar a chegada se a nossa festa é ir sempre mais longe do que fomos ontem?

ANTUÉRPIA, 21.9.2020

DUNKERQUE

Vasculho o diário para achar a menina que partiu
quase em segredo (até de si), quase sozinha (junto
com os anseios famintos, os medos infantis, as
vontades ingênuas e antigas)

quase sem saber se chegaria ao destino final
(quantos "e se cabem num veleiro?) .

No dia da partida, em Ålesund, eu também parti
de mim

(dessa que se deu grandes desculpas para
contornar o óbvio

dessa que amou infinitamente o outro enquanto se
apagava

dessa que pediu muitos conselhos para validar
escolhas que só podia fazer sozinha).

.

Fui deixando Tamaras nos cais do caminho (mais
especificamente em Volda, Florø, Bergen, Føresvik,
Farsund, Thyborøn – muuuuitas nesse lugar pra

onde fomos e voltamos muitos dias seguidos–,
Vlieland, Den Haag, Calais, Dunkerque, enfim).

.

Fui encontrando Tamaras antigas em alto-mar
(as mais destemidas, as mais carentes, as mais
dramáticas, as mais sangue-frio).

.

Já faz mil milhas, mares abertos e a lonjura de alguns
países, e para aquela Tamara aflita que embarcou
sozinha numa ideia assustadora eu só quero dizer:
ACREDITA, VAI SER MELHOR DO QUE VOCÊ
SONHA!!!

DUNKERQUE, 27.1.2020

O RUMO O BARCO DE PESCA À DIREITA
A FALHA NO PILOTO DOIS MINUTOS ATRÁS
O ALARME FALSO O VAZIO NO ESTÔMAGO A
ÁGUA EMPOÇADA NO FUNDO DO COFRE DAS
BATERIAS O PARAFUSO SOLTO O BARULHO
ESTRANHO QUE NÃO SEI DE ONDE VEM AS
LUZES DE NAVEGAÇÃO DEPOIS DO PÔR
DO SOL O SIGNIFICADO DAS LANTERNAS
DOS NAVIOS OS PENSAMENTOS COLADOS
E SEMPRE IMPORTANTES SEMPRE URGENTES
SEMPRE CRUCIAIS O NÓ DE OITO NA PONTA
DA ESCOTA O VÍDEO PARA PÔR NAS REDES
A BATERIA DO LOCALIZADOR DE EMERGÊNCIA
O DIÁRIO ATRASADO A PREVISÃO DO TEMPO
O REMÉDIO PARA TOMAR ANTES DE DORMIR
QUE EU NÃO SEI SE TOMO JÁ QUE EU PASSAREI
A NOITE TODA ACORDADA ——————————

O fio da vida vai

correndo pelos pontos vai

curtindo atrás dos panos vai

sedento abrir caminhos largos

finos

gostos

quentes

cheiros

doces

chances

gentes

(sóis e pores de sóis)

e eu me aperto e eu me

largo e eu me deixo

lavar

pelas

letras

que somam

escolhas

que pesam

horrores

que levam

segundos

pra nos carregar através desses planos

por dentro dos

panos

e eu ainda me espanto de ver que as
mesmas palavras

me levam pra longe e me

trazem de volta pra dentro

da palavra

casa.

CALAIS

Risco

não é sobre se lançar no abismo

não é sobre adentrar o breu

não é sobre vagar com a caneta no ar

o risco

é um marco certo

reto

inconfundível

o risco não deixa margens nem pontas
soltas

o risco que se risca não se desfaz

como quando se escolhe

partir para o alto-mar

como quando se parte

para encontrar o tempo previsto

como quando se conta

as milhas para chegar

o risco é a borda das previsões

a fronteira

CALAIS, 20.1.2020

a cerca de arame farpado através da
qual dá pra ver,

fincada com estacas na terra firme.

Dá um medo que só, mas

o risco é o gerador da liberdade

o risco se faz

ao riscar.

CALAIS, 20.1.2020

Posfácio

É claro que eu podia ensinar os nós que sei, emprestar o barco (já pronto) que tanto usei, doar as ferramentas com que transformei sonhos vagos em rotas pontilhadas em cartas de todas as longitudes. Mas não fiz isso. Os nós que conheço são poucos, devem-se aprender muitos outros para trilhar seu próprio caminho.

É duro dizer não a quem se ama. Mas Tamara reagiu à minha negativa com seu sorriso intenso – que de mim não herdou – e, de um jeito delicado e decidido, compreendeu que cada um escreve sua história, que não é algo que se herda ou se empresta.

Bem longe da família e sem que soubéssemos, encontrou um barquinho usado e meio largado e o fez navegar de verdade. Por conta própria e só. E com seu bom humor foi contando, desenhando, escrevendo. Quase brincando com letras, palavras e frases, criou uma bela espécie de poesia.

Nas prateleiras de casa, há escritos de vários tipos: romances, relatos e poesias que com os anos fomos juntando. Eu os separo em estantes não por gênero nem idioma, mas por uma preferência peculiar: os inventados e os vividos. Hoje, fico muito feliz de descobrir que, com um talento que eu desconhecia, os livros de Tamara ficarão na segunda categoria.

Amyr Klink

NOSSOS PAIS NOS TRANSPORTARAM EM CESTINHAS TÍPICAS PARATIENSES ATÉ NÃO CABERMOS MAIS.

TERRITÓRIO DAS COISAS INDIZÍVEIS

O QUE EU GOSTARIA QUE FOSSE
O QUE ESCOLHI DIZER
RELATO

A VIDA PRÓPRIA DAS PALAVRAS

NÃO ÉRAMOS LAURA NEM TAMARA. DEPOIS DE 3 MESES SEM NOME, NASCERAM NOSSOS APELIDOS: LOIRA E MORENA.

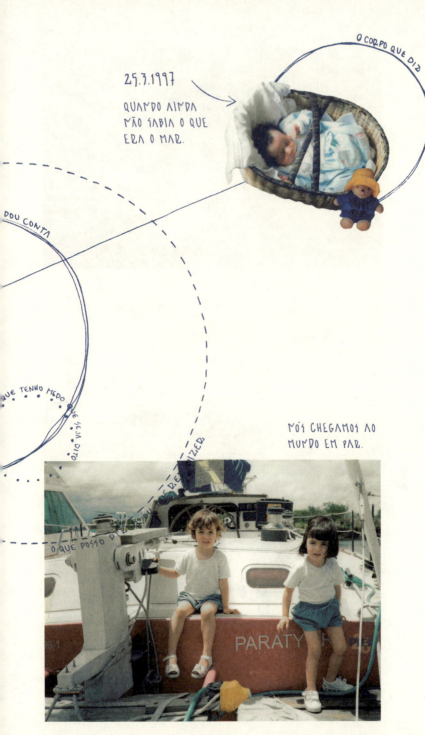

25.3.1997

QUANDO AINDA NÃO SABIA O QUE ERA O MAR.

O CORPO QUE DIZ

DOU CONTA

QUE TENHO MEDO

QUE SEJA DITO

O QUE POSSO DIZER

NÓS CHEGAMOS AO MUNDO EM PAR.

EU ME IMAGINAVA MUITO LONGE DALI.

GUARUJÁ-PARATY-RIO DE JANEIRO, 2003.

FOTO EM FAMÍLIA ANTES DE O MEU PAI PARTIR PARA A GEÓRGIA DO SUL NO PARATII 2.

1997. NAVEGANDO COM MEU PAI NA PISCINA DE CASA.

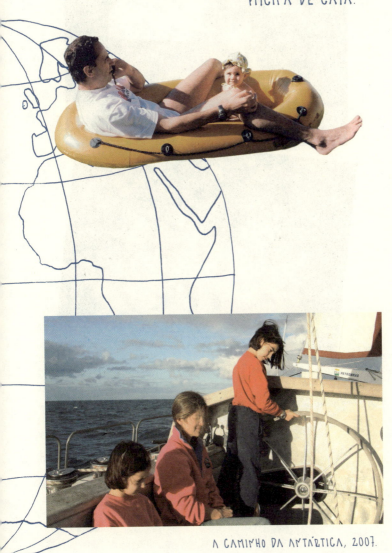

A CAMINHO DA ANTÁRTICA, 2007.

IRMÃS KLINK

1997. EXPLORANDO O CONTEXTO COM A BOCA.

1º.1.2000

MIMA CHEGA AO MUNDO. ENFIM, SOMOS TRÊS!

DESCOBRINDO O MUNDO COM O VOVÔ.

DO QUE ME DOU CONTA

O QUE EU GOSTARIA QUE FOSSE VERDADE

RELATO

O QUE ESCOLHI DIZER

O QUE TENHO MEDO QUE SEJA DITO

DIZER OU QUERER DIZER

NA VARANDA DE CASA NA GRANJA VIANA, 1998.

PARATY, 2003.

2003. EM CADA VIAGEM, VOVÓ NOS TRAZIA TANTAS SAUDADES!

O HENRIQUE E A IEVA
LOGO ME ACOLHERAM
COMO PARTE DA
FAMÍLIA.

COM O HENRIQUE, THOMAS E JONAS.

O KRISTOFFER ME ENSINA A MANOBRAR O BARCO NO PORTO DE THYBORØN. EU NÃO PODIA IMAGINAR QUE VOLTARIA PARA LÁ UM MÊS DEPOIS, SOZINHA.

2020, VOLDA (NORUEGA). AINDA NÃO ACREDITO QUE ESSE BARCO É O MEU! A SARDINHA FINALMENTE FOI PARA A ÁGUA.

COMPREI A MUSICAA! O JUHA ME ENTREGA AS CHAVES.

PARTO DE BOKN COM A SENSAÇÃO DE QUE PODERIA TER FICADO UM POUCO MAIS...

PRIMEIRA NAVEGAÇÃO COM A SARDINHA! FICO SEM PILOTO AUTOMÁTICO E NÃO CONSIGO SAIR DO LEME. NAVEGO A NOITE TODA PARA CHEGAR A ÅLESUND.

ALGUNS DIAS DEPOIS DA PARTIDA, AS MARCAS DO CAMINHO JÁ APARECEM NAS MÃOS.

MANTER O DIÁRIO EM DIA É SEMPRE UM DESAFIO. QUEM SABE UM DIA ELE VIRA UM LIVRO!

PARTINDO DE ÅLESUND. COMEÇA A VIAGEM.

O TEMPO TODO DESVIO DE ILHAS E PEDRAS NA COSTA NORUEGUESA.

O PORTO DA CHEGADA: EM BREVE O PORTO DA PARTIDA

TREINANDO O MEDO COM OS VENTOS FORTES DE OESTE E AS ONDAS NA CARA DO PORTO DE THYBORØN.

O MOMENTO MAIS ESTRESSANTE DA VIAGEM. LIGO PARA O MEU PAI PARA CONTAR QUE COMPREI UM BARCO E VOU LEVÁ-LO PARA A FRANÇA SOZINHA.

CHEGADA FESTIVA A DEN HAAG. NÃO VEJO A HORA DE ENCONTRAR MEUS AMIGOS.

FARSUND, ÚLTIMO PORTO NA NORUEGA.

AS SAUDADES PINGAM DOS OLHOS AO OUVIR A MINHA AVÓ.

CHEGADA A CALAIS!

AGRADECIMENTOS

TALVEZ O HENRIQUE GASPAR NÃO IMAGINE A IMPORTÂNCIA QUE TEM NA MINHA VIDA. ELE ME ENCORAJOU A FAZER ESSA VIAGEM INAUGURAL, ME LEVOU PARA CIMA E PARA BAIXO PARA PREPARAR O BARCO, ME ASSISTIU AO LONGO DE TODO O CAMINHO E ALÉM, ME ENSINOU MAIS DO QUE EU PODERIA SONHAR APRENDER E SE TORNOU UM GRANDE AMIGO. SUA ESPOSA, ISEVA, ME APOIOU E ME FEZ SENTIR PARTE DA FAMÍLIA NAQUELE VERÃO NORUEGUÊS EM QUE O IRMÃO DO THOMAS E DO JONAS ESTAVA EM GESTAÇÃO. EU AGRADEÇO A VOCÊS POR TER TORNADO POSSÍVEL A JORNADA DESTE LIVRO.

AGRADEÇO TAMBÉM AOS QUE ESTIVERAM COMIGO DESDE O COMEÇO: JUHA E MINHA AVÓ, ANNA.

AOS AMIGOS FABRÍCIO, PIERRE, GIOVANNA, ALEX, PHILLIP, NANDA, TIVO, TIMÉRI, GUILLAUME, VIC, MARTINHA, BIA, LEO.

AOS QUE ME AJUDARAM ANTES MESMO DE ME CONHECER NOS PORTOS ONDE PAREI: ARNE, SIGRUN, KRISTOFFER, DAAG, KARSTEIN, ROMILO, CHARLY, ERIC, BERNARD, MARIE, NICOLAS, JEAN-YVES E GILLES.

AOS QUE, MESMO ESTANDO LONGE, SE FIZERAM PRESENTES: NAIR, JACK, INÊS E AS SARDINHAS DO NOSSO CARDUME NAS REDES SOCIAIS.

E À MINHA FAMÍLIA.

ESSA FOI UMA VIAGEM SOLITÁRIA, MAS NÃO ESTIVE SOZINHA. OBRIGADA.

Este livro foi composto em Dazzle Unicase,
Atten New e Sardinha. Impresso em papel Pólen Bold 70 g/m²
na Gráfica Eskenazi no inverno de 2022.